関塾 監修

Mates-Publishing

はじめに

いつの時代も子を持つ親の願いは、しっかりと学問を身につけてほしいということでしょう。「少年老い易く学成り難し」のごとく、子どもの成長はとても早く、あっという間に大きくなってしまいます。「鉄は熱いうちに打て」のとおり、まさに頭がやわらかい小学生のうちに勉強の習慣を身につけることが大切です。

では、どうすればいいのでしょうか。

パソコンや携帯電話など便利なデジタル機器があふれた世の中ですが、本書はあえてノートの効用をあげています。東大生のノートが話題になったように、学習の原点はやはりノートをとるということなのです。

ところで、お母さんやお父さんは普段お子さんのノートをじっくりご覧になられたことがあるでしょうか。字がきたない、余白がない、色使いが多すぎるなど、がっかりされることが多いのではないかと思います。実際のところ、学校でしっかりとノート指導をしているところは少なく、低・中学年では自主的にノートがとれるお子さんはほとんどいないのが現状です。ましてや、ノウハウのないお母さんが家庭で指導されるのはさらに困難なことでしょう。

でも、心配は無用です。そんなお母さんへの強い味方となるのが本書なのです。

本書ではノートのとり方のポイントはもちろん、上手に活用することで勉強することがどんどん楽しくなる方法も紹介しています。

できれば、お母さんが本書のたくさんの事例の中から、お子さんに合ったものを選んで、一緒にノートづくりをしていただければいいと思います。

それでは、よいノートをとるにはどうすればいいのでしょうか。

その前によいノートとはどういうノートだと思われますか。本来ノートとは情報を記録しておくものですが、よいノートとは情報だけでなく、自分の考えた筋道や疑問点がしっかりと残されているものなのです。教科にもよりますが、特に算数や理科では、何度も繰り返し考えることで、おのずと思考力が養われます。

小学生にとってはかなり高度なレベルですが、こつこつと続けていけばどのお子さんでもできるようになります。

さらにノートをとるためにもっとも重要なことは、人の話をしっかりと聞くということです。この機会にあらためて、聞くことの大切さをお子さんと確認してください。

ひと言でノートといっても、「学校用」「演習用」「自主勉強用」などに分けられると思いますが、当然、その目的によってまとめ方は異なります。

当たり前ですが、ノートをとるだけでは成績が上がるはずはありません。学校の授業ノートが第一なのはもちろんですが、とりわけ成績を伸ばすには、いかにそれぞれのノートを日々活用するかにかかっています。

特に、中学校などではノートの評価が内申点に加味されるため、きれいに書くことだけに労力が奪われ、活用する余裕がないという、本末転倒なことが起こっています。くれぐれも、ノートをとることだけが目的とならないように気をつけてください。

ノートが体の一部となり、お子さんにとって唯一無二の宝物となるまで磨き上げることが大切です。

それでは、早速よいノートのとり方から紹介してまいりましょう。

おうちで伸ばす！
小学生のノート術 新装改訂版 差がつく 教科別 50のポイント

目次

各ポイントの要点やアドバイスはお子さんが自分で読めるようふりがながついています！

2章 教科別基本のノートのとり方

3章 習慣化したい家庭学習ノート

4章

知って差がつく!ノート講座

※本書は2020年発行の『成績が伸びる!小学生のノート術 改訂版 教科別 差がつく50のポイント』を元に、内容を確認したうえで加筆・修正し、書名・装丁を変更してあらたに発行しています。

ノートづくりの基本的ポイント10

ノートは、授業ノート、自主勉強ノート、自由ノート、日記帳、連絡帳など、目的と学年に応じたものを用意しましょう。ここでは、どんなノートにも通じる、ノートづくりの基本的な10のポイントを紹介します。

表紙に名前・教科・日付を書く

表紙をきれいに書くことからスタート！

ノートの表紙には、わかりやすく大きな字で、

① **科目名（「授業のノート」や「自主勉強ノート」などの分類）**
② **名前**
③ **学年とクラス**
④ **使い始めた日付（使い終わった日付も）**
⑤ **ノートの通し番号**

を書きましょう。

これはノートを使いはじめるとき、まず最初にする作業です。「このノートをていねいに使うぞ！」という気持ちで、はっきりとていねいに書くようにしましょう。始めよければすべてよし！　表紙がきれいに書けると、気持ちのいいスタートがきれます。

授業のノートは、学校から指定されたものなど、学年に適したノートを使うようにすることが基本です。学年や学習内容に応じたノート

CHECK!

1 必ず1教科ごとに1冊用意する。

2 わかりやすい字でていねいに書く。

3 表紙をキメて、よいスタートをきる。

西村先生のアドバイス

最後まで気持ちよく使えるノートにするためのポイントだね。

を、教科ごとに一冊ずつ用意します。必要なことが書かれたノートは、探すときにも、あとで整理するときにも便利です。

かっこよく
表紙に名前を書けると
うれしくなるね!

さんすう

自主勉強ノート

7月2日(はじめ)
2年1組すずき まなぶ

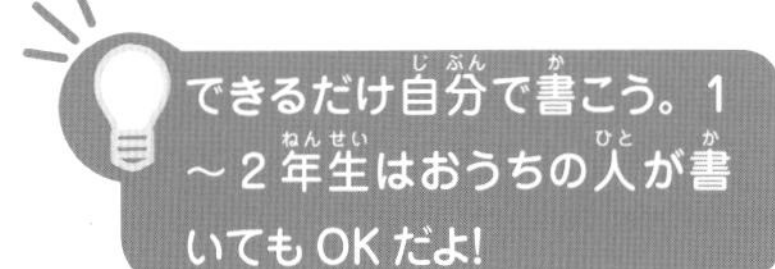

できるだけ自分で書こう。1～2年生はおうちの人が書いてもOKだよ!

こくご

授業のノート

4月2日～6月28日
1年3組さとう はなこ

使いはじめる日と終わりの日を書くと、1日あたりの勉強する量の目安になるよ。

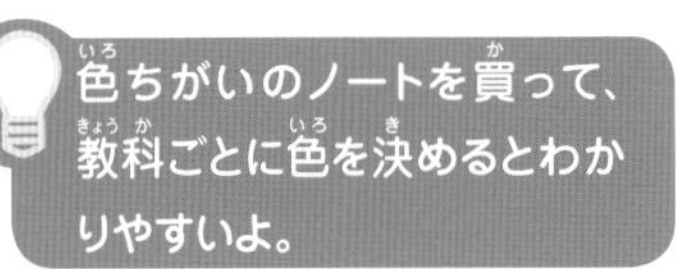

色ちがいのノートを買って、教科ごとに色を決めるとわかりやすいよ。

日付・タイトル・単元を書く

いつ何を勉強したのか明確にする

ノートを書き始めるときには、まず最初に、必ず日付を書くようにしましょう。つい忘れてしまいがちなことなので、習慣にしてしまうことが大切です。日付があれば、いつ勉強したことなのかということが、あとでノートを見直したときにもすぐわかって便利です。

また、学習の内容について、タイトルや単元名、学習のめあてなどを、しっかりと書いておきましょう。何についての勉強をするのかということを、はじめに押さえておくことは大切なことです。学習のめあてをよく理解して、授業の内容を聞き、最後に自分なりに振り返ることができれば、学習の流れはバッチリです。

自主勉強ノートなど、家庭学習に使うノートも同じです。何月何日に何についての勉強をするのか、しっかりとタイトルを書くことは、ノートのわかりやすい見出しになり、頭とノート、両方の整理になります。

CHECK!

1. まず最初に、日付をはっきりと書く。
2. 書く場所や、書き方を決めておく。
3. しっかりとタイトルを書く。

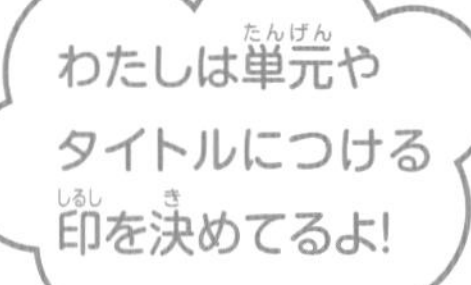

わたしは単元やタイトルにつける印を決めてるよ!

1 日付

2 教科書のページ

3 タイトル（めあて）

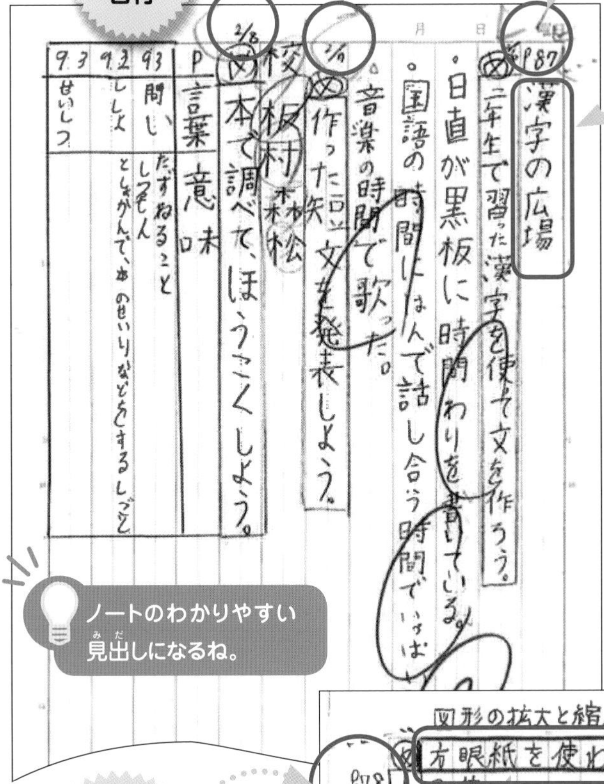

ノートのわかりやすい見出しになるね。

西村先生のアドバイス

日付を書く習慣は、大人になっても必要で大切なことだよ。

1 日付

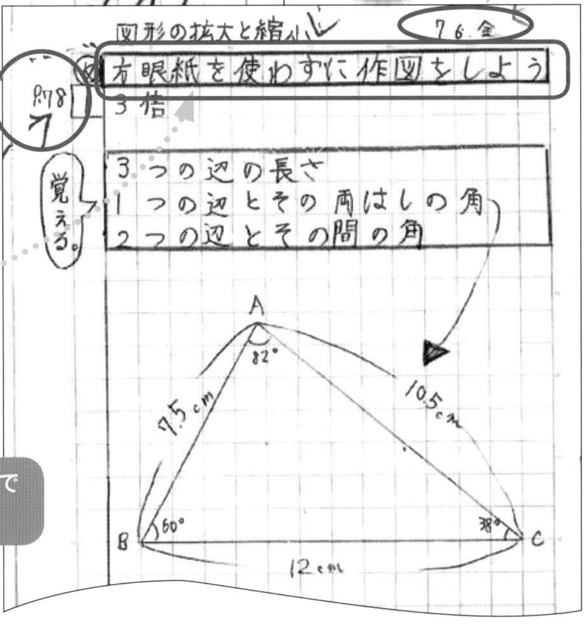

2 教科書のページ

3 タイトル（めあて）

ノートがすっきり整理できるよ。

余白はゆったり!

余白は魔法の空間

ノートはゆったりと使って、行間はもちろん、余白を多めにとりましょう。びっしりと字でうまっていて余白のないノートは、せっかく充実した内容が盛り込まれていても、見づらくわかりにくいものになってしまいます。**パッと見たときに、何が書いてあるかが大体わかるようなノートが理想です。**ポイントが目に飛び込んでくるようなノートなら、勉強も楽しくなりますね。

行間やマス目をあけることによって、ノートはずいぶん見やすくなります。計算ドリルなどの練習問題でも、問題と問題のあいだに、適度な間隔をあけるかあけないかで、見た目が全然違うノートになってしまいます。余白を多くとった見やすいノートは、計算ミスなどの不必要な間違いを減らし、書いたことを覚えるときにも目で見て覚えやすいノートになります。

また、余白があれば、あとから気づいたことなどを書き足すことがで

CHECK!

1. ノートはぜいたくに使う。
2. あとで気づいたことや、疑問、質問など書き込めるスペースをあけておく。

もったいないと思って、ツメツメに書いてしまわないようにしよう。

きます。大切なポイントをチェックしたり、授業中の先生の言葉をメモしたりできるように、余白は多めにあけておきましょう。ノートをバージョンアップできる余白は、魔法の空間なのです。

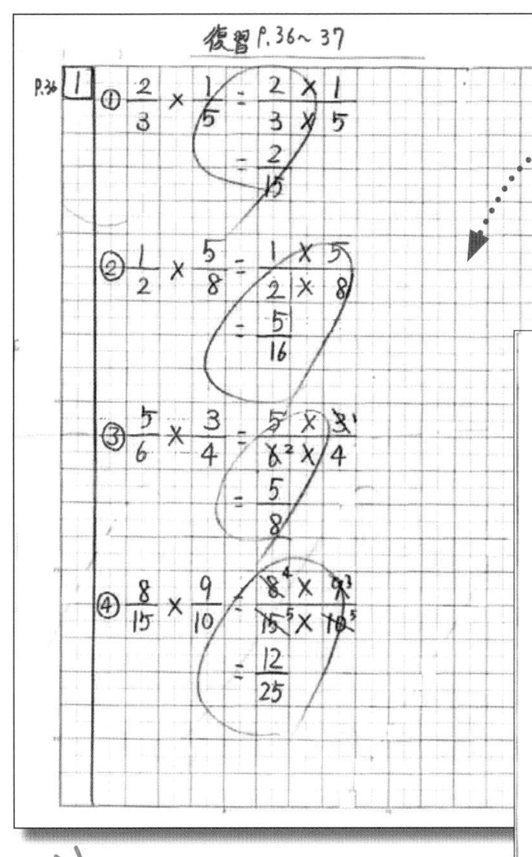

余白があって、パッと見てポイントがわかりやすいのがgood!

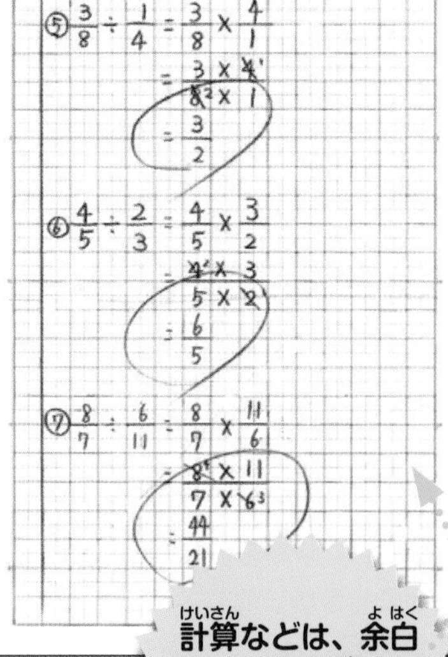

計算などは、余白のところを使うのではなく、あらかじめスペースをあけておくよ。

新しい単元になったり、日付がかわったら、ページをかえよう。

NO. 04

縦横(たてよこ)をそろえる

見(み)やすいノートでミスを減(へ)らす！

小学生が使うノートには、罫線やマス目があります。だったら、縦横のラインがそろうのは当たり前では？と思うかもしれません。でも、それが意外と難しい子どももいるのです。

まっすぐにそろっていないと、計算をしているうちに、縦横がごちゃごちゃになって、桁がわからなくなり、計算間違いをしてしまうことにもつながります。**特に筆算は、縦横のラインをそろえる注意が必要**です。ノートの罫線やマス目をうまく活用して、わかりやすく書くように練習しましょう。

いまやっている計算に集中することはもちろん必要ですが、**ノート全体のスペースにも目を配りながら、書いていく**ことが大切です。筆算をきれいに書くことができたら、他の教科のノートの書き方の参考になります。

CHECK!

1. けい線(せん)やマス目(め)を上手(じょうず)に使(つか)う。
2. まっすぐにそろえて書(か)く練習(れんしゅう)を。
3. 見(み)やすく書(か)くことが大切(たいせつ)。

西村先生(にしむらせんせい)のアドバイス

大項目(だいこうもく)、中項目(ちゅうこうもく)、小項目(しょうこうもく)などで書(か)き出(だ)しの位置(いち)をずらして書(か)こう。ノートのスペースをどう使(つか)うかは、練習(れんしゅう)していくうちにだんだんわかるようになるよ。

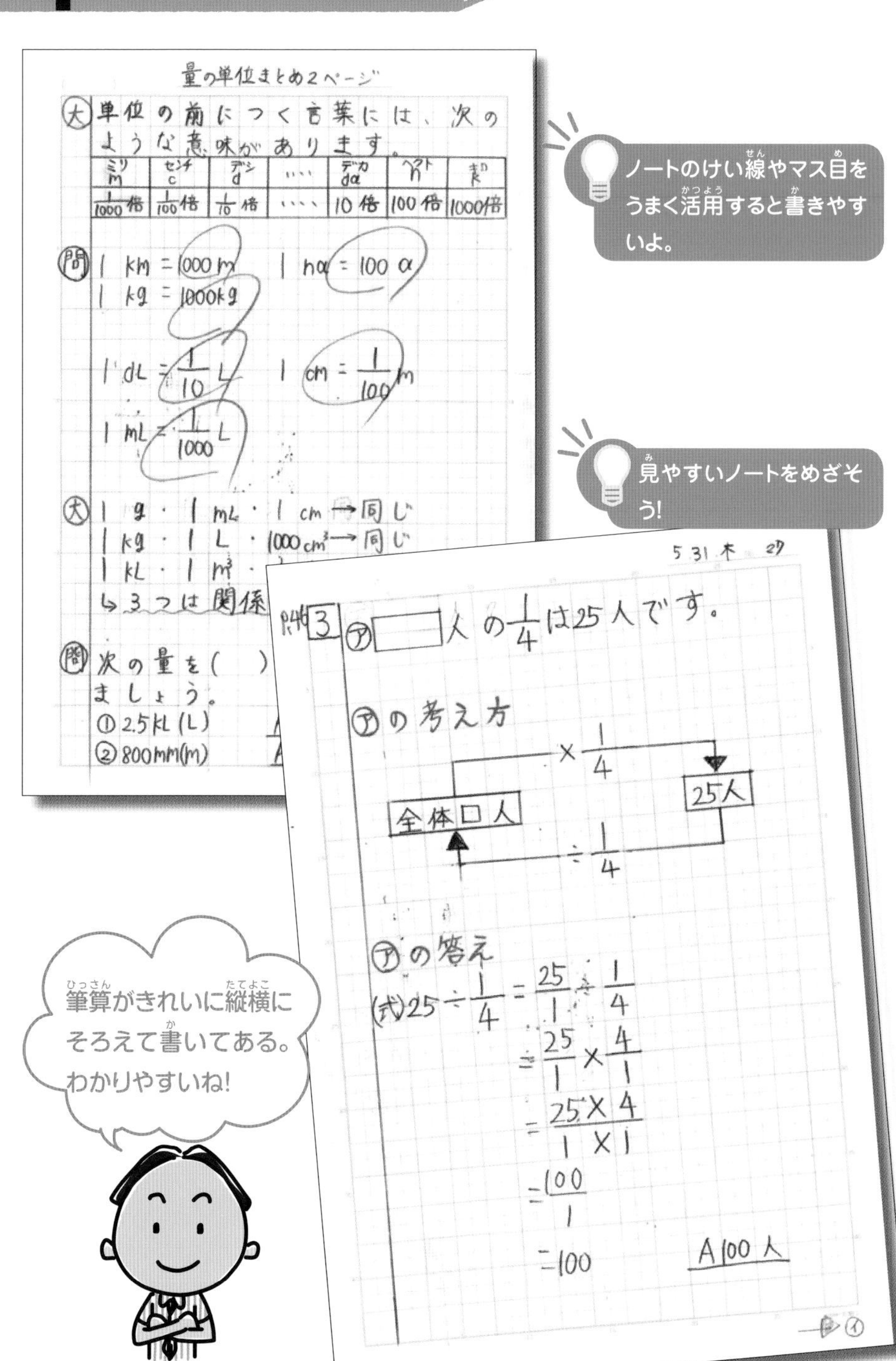
ノートのけい線やマス目をうまく活用すると書きやすいよ。
見やすいノートをめざそう!
筆算がきれいに縦横にそろえて書いてある。わかりやすいね!

問題の番号を書く

問題ごとの区切りと見直しに便利

子どもたちは、練習問題などで、よく問題番号を飛ばして書いてしまうことがあります。しかし問題番号がないと、何のことが書いてあるやら、本人にもわからないノートになってしまうことがあるので、要注意です。同じような問題が続く場合でも、**問題番号をしっかり書いておけば、どこに何が書かれているのかがわかり、**見直すときにも便利です。

学習内容を整理し、流れを理解するためにも、**問題番号と問題は必ず書くようにしましょう。ページ数、問題番号、問題をセットで書く習慣は、低学年のうちからつけて**おきましょう。答えだけをノートに書くことはNGです。いま自分がどの問題に取り組んでいるのかを、きちんと記しておくことが大切です。

問題のタイトルは、**大切な情報のひとつ**です。問題のタイトルを書くことで、ひとつひとつの問題ごとの区切りがつき、答えを整理して見やすく書こうという姿勢につながります。

CHECK!

1 問題番号は忘れずに！

2 めざせ！どこに何が書いてあるかがわかるノート。

3 問題文も書こう。

西村先生のアドバイス

いま何の勉強をしているか、わかっているかな？番号もちゃんと書いておこう！

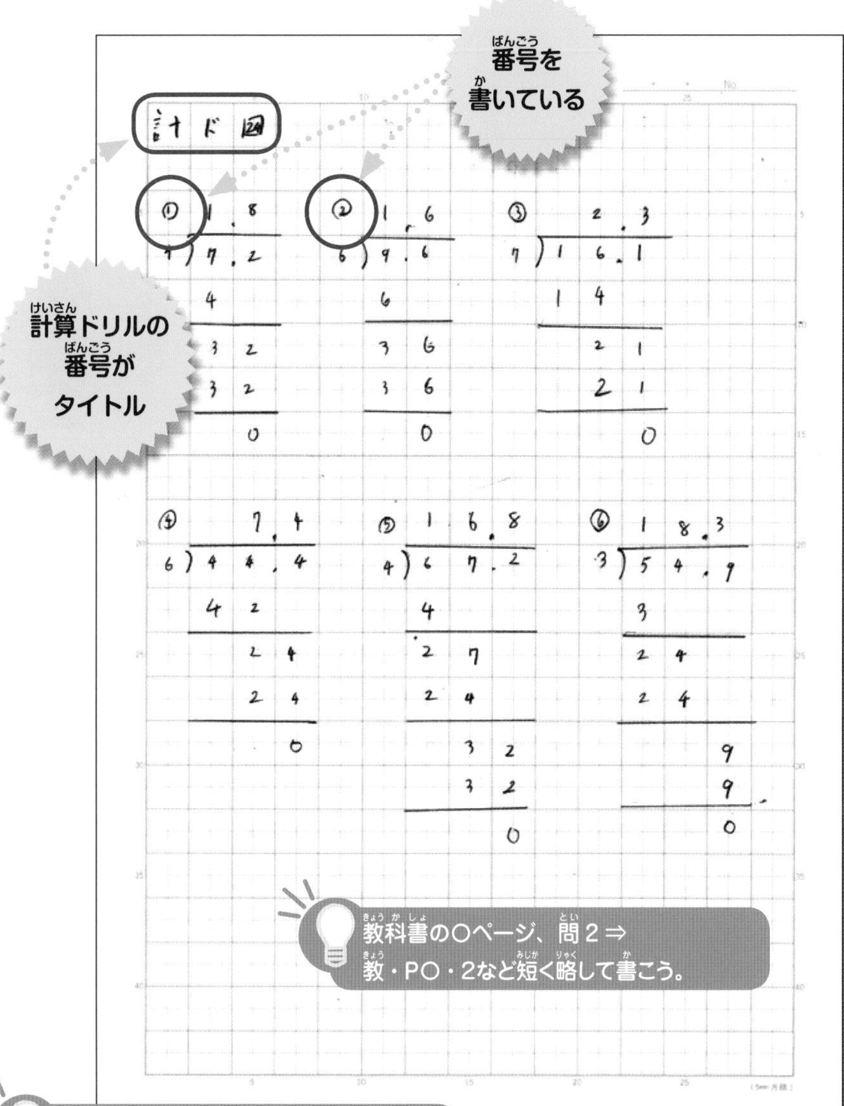

教科書、問題集や過去のテストなど、あとからわかるように、必ず問題のタイトルと番号を書いておく。

めんどうくさがらずに書く習慣をつけよう!

線(せん)を使(つか)って見(み)やすく

大切(たいせつ)なことがはっきりと見(み)えてくる

CHECK!

1 大切(たいせつ)なことは、二重線(にじゅうせん)を引(ひ)いたり、大(おお)きく囲(かこ)んだりして強調(きょうちょう)する!

2 線(せん)の種類(しゅるい)や色(いろ)を使(つか)い分(わ)ける！

3 矢印(やじるし)を使(つか)いこなす。

大切なことを、二重線や波線、アンダーラインを引いて目立たせると、めりはりがつき、ノートが見やすくなります。重要度によって、線の種類や色を変えて、工夫をするとよいでしょう。

目立たせたい重要なポイントなどを、四角や丸などで囲むのも、大切なことを整理して見やすくするコツです。これから勉強をする学習のめあてや、単元名、問題文を四角く囲むと、目標をはっきりとさせて、勉強に取り組むことができます。

順序やつながりをあらわすのに便利な記号が、矢印（↓）です。矢印をうまく使いこなせば、学習の流れやリズムを、ノートにうまく取り込むことができます。囲んだり、強調したり、区切ったり、つないだり、上手に線を使ってレイアウトし、視覚的にわかりやすいノートづくりをしましょう。

忘れてはいけないことは、凝りすぎないことです。適度に使えば効

西村先生(にしむらせんせい)のアドバイス

ポイントや注意点(ちゅういてん)などを吹(ふ)き出(だ)しに書(か)き込(こ)むのもいいね！

果的な線や囲みですが、多用しすぎると、本当に大切なことがどれか、かえってわからなくなってしまいます。

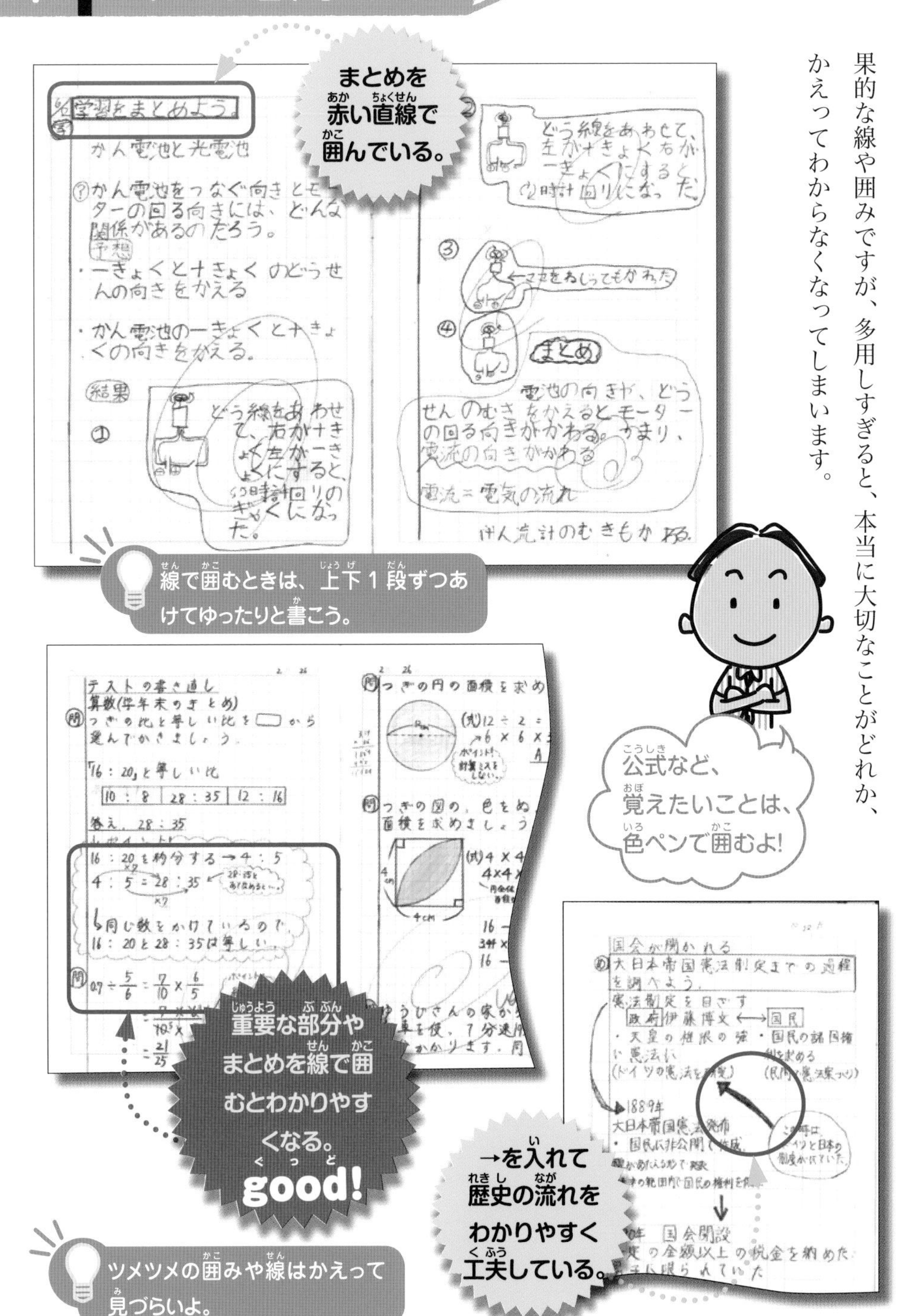

まとめを赤い直線で囲んでいる。
線で囲むときは、上下1段ずつあけてゆったりと書こう。
公式など、覚えたいことは、色ペンで囲むよ！
重要な部分やまとめを線で囲むとわかりやすくなる。
good!
→を入れて歴史の流れをわかりやすく工夫している。
ツメツメの囲みや線はかえって見づらいよ。

大事なことや図は大きく

たくさんの情報を図で残す

図やイラストがあると、とてもわかりやすいノートになります。百聞は一見にしかず。長い説明を読んだり聞いたりしてもわかりにくいことが、**図やイラストを見れば、すぐに理解できる**ことも多いもの。図には、たくさんの情報がつまっているのです。

図を書くときは、**余白はたっぷり**ととって、大きめに書きましょう。書くことによって、記憶に残ります。また、大きく書くほうが、より印象に残りやすいものです。文字も同じです。**大切なことは大きく書いて、**書きながら覚えてしまいましょう。

図のまわりに余白をたくさんとっていれば、あとでポイントなどを書き込むこともできます。算数の図形など、あとから角度などの必要な情報をいろいろ書き込みたい場合も安心です。

図を書くときは、フリーハンドでOK。直線は、罫線やマス目などを利用して引くとよいでしょう。図や絵の全体については、罫線やマス

CHECK!

1. 図はフリーハンドでもOK。
2. 正確に、かつ、ていねいに書く。
3. 文字の大小で重要度を分ける。

図を書くと、
わかりやすく、
楽しく理解できるね。

目にとらわれずに、ささっと書ける練習もしましょう。

理科の実験の過程や、植物のようすなどをノートに書くためには、よく観察をする必要があります。それは、理解につながり、確かな記憶にもつながっていくのです。

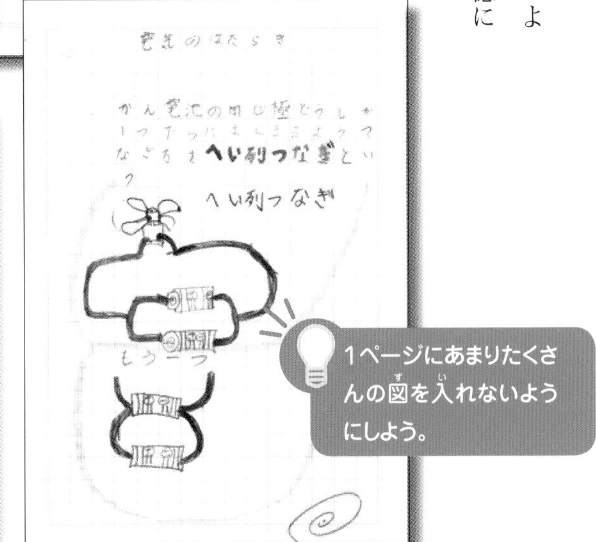

西村先生のアドバイス

先生が黒板に色を使って書いたこと、先生が授業中に強調したところ、教科書に太文字で書いてあることは大切なポイント。ノートにも大きく書こう！

色は3色ぐらいまで

何色を使おうかな?の迷いは無駄な時間

色とりどりのペンを使って、かわいらしいノートづくりをしたがる子どもたちもいます。たくさんの色のペンをペンケースに入れてきて、友達と競い合っている場合もあります。

でもなぜノートをとるのかという基本的な目的に立ち返って考えてみると、カラフルにまとめて人に見せるノートに仕上げるのではないでしょう。

多色使いをする子どもは、ペンの色を選んで持ち替えるのに時間がとられます。何色を使おうかな?と迷っている間に、ノートをとるべき大事な部分がわからなくなってしまう可能性も十分にあります。

色ペンを使うときは、一番重要な部分は赤、次に重要な部分には青などと、子どもが**自分なりの使い分けを決めておく**ようにすすめましょう。

CHECK!

1. 色づけの順位を決める。
2. 本当に大事なところに色づけする習慣を。
3. 自分なりの使い分けを決める。

シンプルにすると、
大切なことが
目立つのね。

量の単位

あ 単位間の関係をまとめよう。

P.50 ア あ m　か L
い kg　き g
う m³　く m
え m²　け m
お km

覚える

時間　秒、分、時間
長さ　mm、cm、m、km
面積　mm²、cm²、m²、km²、a、ha
体積かさ　mm³、cm³、m³、km³、mL、dL、L、kL
重さ　mg、g、kg、t

2 1 km = 1000m
1 ha = 100 a
1 kg = 1000 g

先生から大事ポイント！
1 km = 1000 m　kmがでて、mで表すときは、1000倍をする。
×1000

1 ha = 100 a　haがでて、aで表すときは、100倍をする。
×100

3 $1\ dL = \frac{1}{10}L$　$1\ cm = \frac{1}{100}m$
$1\ mL = \frac{1}{1000}L$

振 1 kgの時、gで表すときには、1000倍をする。1 haの時、aで表すときは、100倍をする。そうすると、覚えやすい。

赤と青の2色を使い分けている。

自分の色の使い方のルールを持とう。

色には順位づけが必要だよ。本当に大事なところにしぼって色づけができるように練習しよう。

これはNG!

色と線の種類を多く使いすぎていて、見づらい例。

ノートはカラフルさよりわかりやすさのほうが大切だよ！

1章

NO.09

プリントはノートに貼(は)ろう！

プリントもノートとして整理(せいり)する

授業中に配られたプリントは、ノートに貼って整理をしましょう。ファイルにはさんで整理をするのもいいですが、プリントもノートの一部として、一緒にまとめて整理をするのがおすすめです。

配られたプリントは、ノートにはさんだままにせず、すぐにノートに貼る習慣をつけておくこともポイントです。プリントをなくしたり、よごしたり、順番がわからなくなることも防げます。時間がないときでも、とりあえず貼っておいて、あとで時間があるときに見直したり、まとめたりでき、時間の有効利用にもなります。サイズの大きなものは、折りたたんで、片側をのり付けして保存しましょう。

テスト直しなどをするときも、テスト問題をコピーしてノートに貼り、もう一度問題を解き直すこともできますね。また、観察の記録などは、デジカメで撮ったものを、プリントしてノートに貼ってもOK。いろいろな切り貼りを楽しみましょう。

CHECK!

1 プリントもノートの一部(いちぶ)。

2 ノートとプリント、情報(じょうほう)を1冊(さつ)に合体(がったい)させる。

3 プリントを貼(は)って、時間(じかん)の有効利用(ゆうこうりよう)。

ノートに貼(は)ってしまえば、プリントが迷子(まいご)になることもないよ。切(き)り貼(ば)りも工夫(くふう)してみよう！

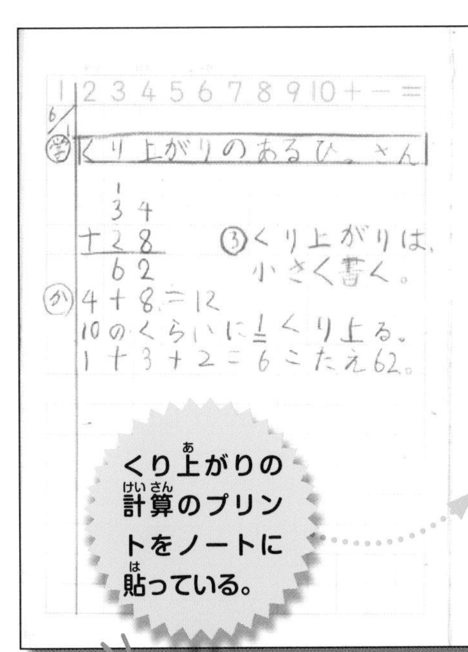

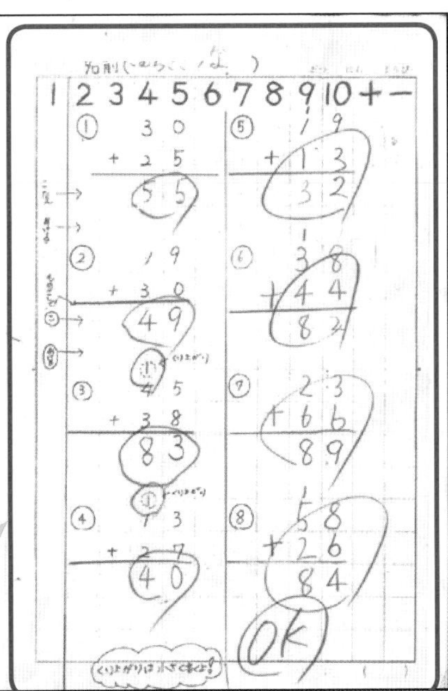

くり上がりの計算のプリントをノートに貼っている。

ノートに貼ると、ノートとプリントの関連しているところがわかるよ。

ここがプリント

学 日なたと日かげでは、地面のようすにどんなちがいがあるのか

けっか 調べたことを下の表にまとめよう。

調べた日： 10月 17日 月

	日なた	日かげ
明るさ	明るい	くらい
あたたかさ	あたたかい	つめたい
しめりぐあい	しめっている	ひなたよりもしめっている

⑤けっか
日なたは日かげよりあたたかくて日かげは日なたよりつめたいということがわかりました日かげはひかげでとくちょうがあるし日なたは日なたでとくちょうがあるんだと思いました。

学 日なたと日かげで、地面のあたたかさは、どれくらいのちがいがあるのか

けっか 午前9時と正午の地面の温度を下の図にきろくしよう。

調べた日： 月 日

調べた場所

日なた：

日かげ：

午前9時		正午	
日なた	日かげ	日なた	日かげ
26℃	18℃	29℃	19℃

⑤分かったこと
午前9時の地面の温度は、日なたでは、26℃で、日かげは、18℃だった。午後2時では、日なたでは、29℃で、日かげは、19℃だった。このけっかから2時のほうが9時より℃が、℃が3℃ちがう。だからあとのほうが℃がたかいということが分かりました。

ここがプリント

ペンケースに、のりとはさみはいつも入れておこう!

1章 NO. 10

最初の一文字をきれいに書く

気持ちよく勉強できる

ノートはやはりきれいな字で書いてあるほうが見やすいものです。最初の1字をていねいにきれいに書くようにすると、きれいな文字を書けるようになっていきます。1字から始めて、1行、2行とていねいに書けるようになれば、1ページ全体をきれいに書くようにしていきます。

練習も必要ですが、きれいな文字で書くと、気持ちよく勉強できることを、子どもが自分で感じとれるようになることが必要です。文字の上手下手を注意するのではなく、ていねいに見やすく書いているかを見てあげましょう。

書き進めるうちにだんだん乱暴な字になって、マス目や罫線からはみ出してしまったときは、消しゴムで消して、書き直す習慣をつけましょう。

CHECK!

1 最初の一文字が肝心。

2 ていねいに見やすく書く。

3 きれいに消して書き直す習慣をつける。

西村先生のアドバイス

ノートを書いている途中で、きたなくなってしまった日があっても、日付が替わったら、また新たな気持ちできれいに書けばいいよ。

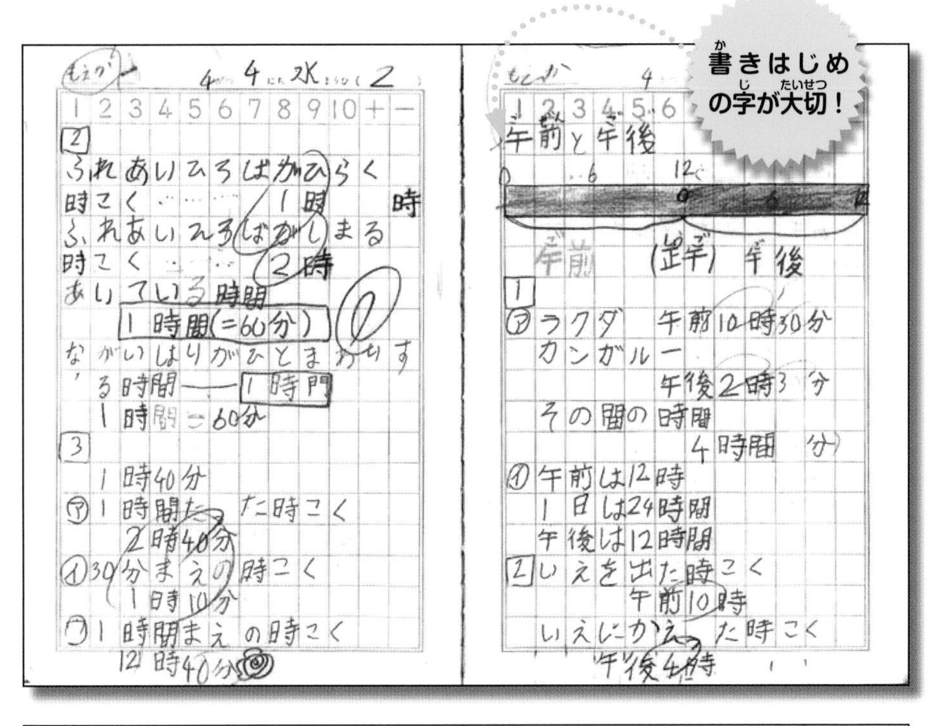

書きはじめの字が大切！

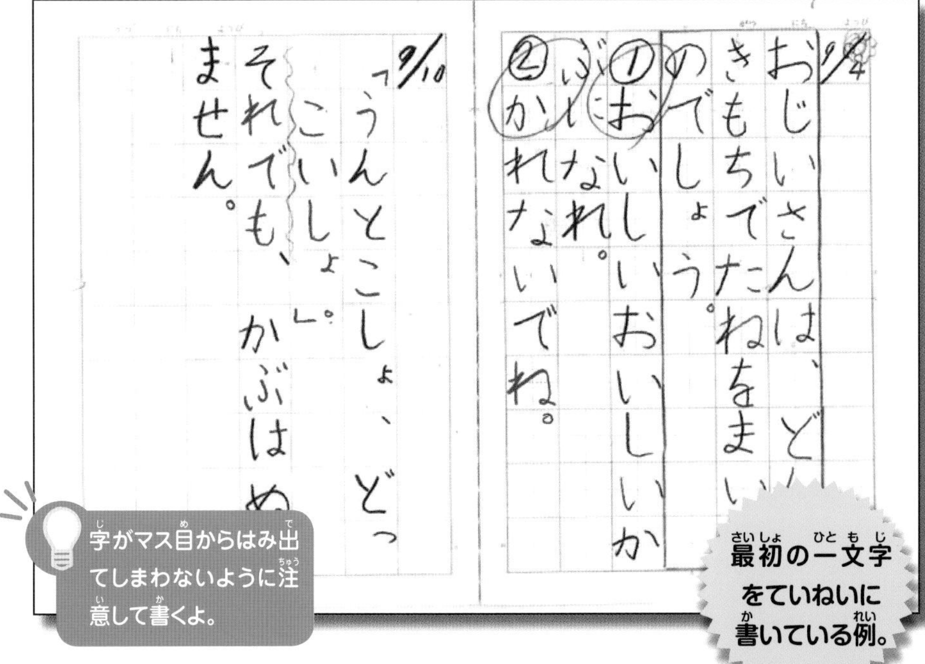

字がマス目からはみ出てしまわないように注意して書くよ。

最初の一文字をていねいに書いている例。

子どもは親の背中を見て育つ

アヒルの子が最初に見たものを親と思って、その行動を真似するように、人間も生まれてからずっとそばにいる親の影響を受けるのは当然でしょう。

「子は親の鏡」と言われるように、親は常に子どもによい影響を与え続けなければなりません。親の第一の使命はまさしく子育てなのです。

では、どうしたら子どもが勉強するようになるかって？

それは親自らが何かに、できれば、楽しそうに熱中している姿を見せることだと思います。

読書好きな子にするには、無理やり本を与えて強制するのではなく、まず親が読書好きになることです。そうすれば、「門前の小僧」のように、自然に学ぶ姿勢が身につくのではないでしょうか。まず、「親より始めよ」ですよね！

2章

教科別 基本のノートのとり方

どの教科の勉強にも必要になる語彙力、読解力を育てる国語。計算や図形の概念、数学的思考を身につける算数。いろいろな疑問を科学的視点で探求する理科。歴史や地理、世の中のしくみを知る社会。教科ごとに、ノートの書き方の大切なポイントを紹介します。

2章

NO. 11

読解力・表現力をつけて日本語を使いこなそう

国語のノートづくり

国語は、すべての勉強の基本です。身の回りの言葉に興味を持ち、語彙力が増えると、世界が広がっていきます。ことわざや慣用句、四字熟語などに注目してみるのもよいですね。文章を読む力、読解力を身につけるには、読み聞かせや読書も効果的です。また、新聞の記事や教科書の文章などを、簡単に要約してみるのもよい勉強になります。主語・述語など、文章の簡単な構成を知り、感じたことを自在に言葉で表せるようになると、国語は楽しい得意科目になりますよ。

国語のノートは縦書きにします。罫線やマス目に合わせて、ていねいに書くようにしましょう。正しい文章を書く練習をしていると自覚することも大切です。わかりやすくタイトルを書き、大切なことは線で囲んで目立たせたりして工夫しましょう。漢字は何度も書いて覚えるのが一番です。

CHECK!

1 語彙力をつける。漢字力をつける。

2 読解力をつける。

3 表現力をつける。

一文一文ていねいに書きましょう。

漢字の読み方 2年

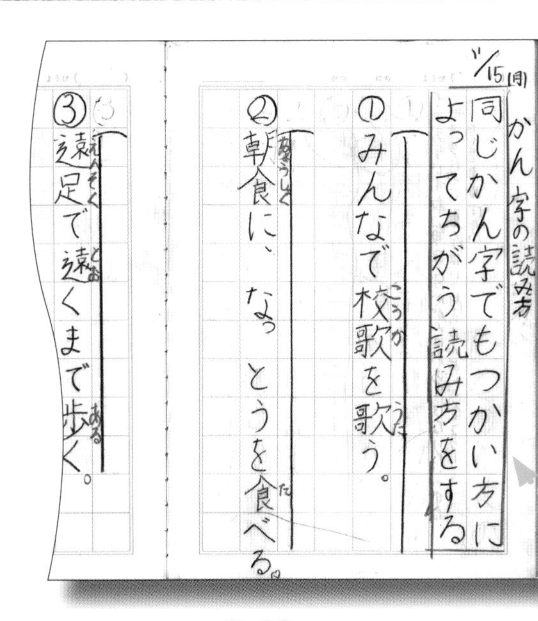

7/15(月)
かん字の読み方
同じかん字でもつかい方によってちがう読み方をする
①みんなで校歌を歌う。
②朝食に、なっとうを食べる。
③遠足で遠くまで歩く。

余白をしっかり取っているので見やすいね!

学習のテーマをはっきり書こうね。

ものの見方を広げよう 4年

注意点もしっかり書くよ。good!

①感じたことを言葉で表してみると、表現力が養われるよ。
②めあてに沿った学習の振り返り、感想をまとめることも大切なんだ。

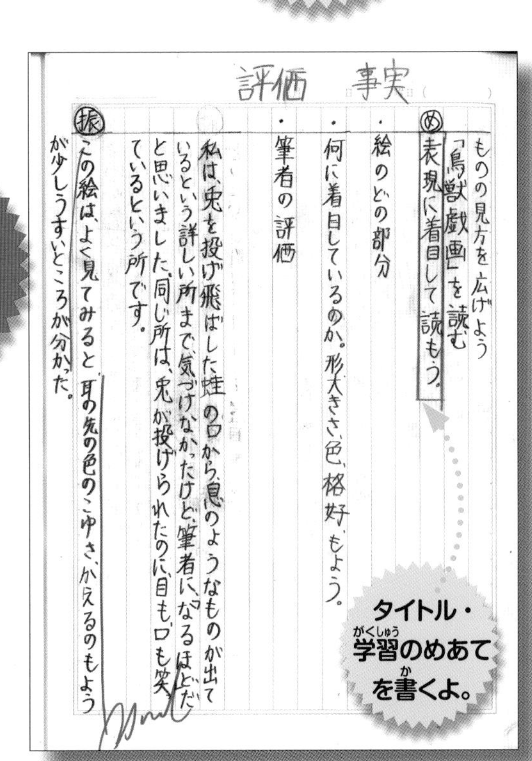

タイトル・学習のめあてを書くよ。

言葉のなかま分け 4年

め 言葉のなかま分けをしよう。

① 気持ちを表す言葉
うれしい・楽しい・さびしい・くやしい・悲しい
よろこぶ・つらい・悲しむ

2つの言葉が合体
かけよる・歩き回る・にぎりしめる・ほうり投げる
走り去る・つかみかかる・かけ出す

③ 動きを表す言葉
投げる・走る・歩く・かける・拾う・持つ・にぎる
ふむ・すてる・すくう

④ ものの様子やじょうたいを表す言葉
広い・大きい・太い
せまい・小さい・細い

もう少し余白があると、もっと見やすくなるよ。

日付・学習のめあてを書こう。

反対の意味の言葉 4年

11月30日 水

11/30 め 反対の意味の言葉を集めよう。

① 方向や時間が反対
昔⇔今 来年⇔きょ年
朝⇔夜 前⇔後ろ
昨日⇔明日 午前⇔午後
右⇔左 南⇔北 東⇔西
上⇔下 かこ⇔未来

③ 人や物事の動きが反対
おそい⇔はやい 死ぬ⇔生きる
歩く⇔走る 起きる⇔ねる
あばれる⇔おとなしい せめる⇔守る
立つ⇔すわる 出る⇔入る
動く⇔止まる 上る⇔下りる

② 人や物事の様子せいしつが反対
男⇔女 春⇔秋
ひくい⇔高い 弱い⇔強い
あつい⇔つめたい 近い⇔遠い
短い⇔長い 新しい⇔古い
冬⇔夏 太い⇔細

気持ちを表すなかま
悲しい・うれしい・悲しむ・さびしい・楽しい
おもしろい

はんたいをあらわすことば
広い・せまい

たくさんの言葉が集められていて、すごいね!

身のまわりの言葉に興味を持つ→語彙力アップ。good!

かるたについて知ろう 5年

学習のめあてが明確にわかるね。good!

ノートを取るときに用語の意味も説明しているね!

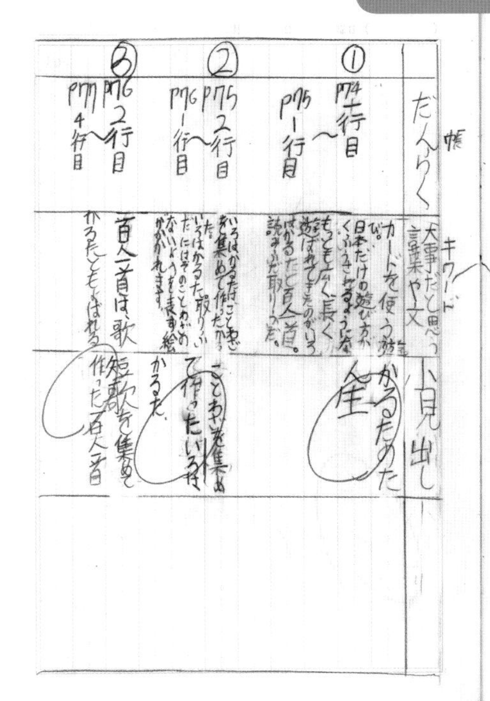

線を引いて表にして、読みやすく工夫しているよ!

大事なことは線で囲もう!

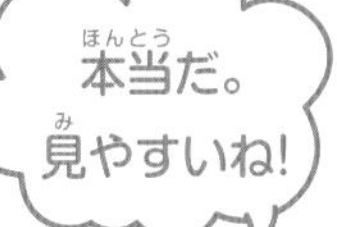

①小見出しをつけると、文章の内容がよくわかるよ。
②表にまとめると、わかりやすいんだ。

2章

NO. 12

計算や図形を整理して書く

算数のノートづくり

小学生の算数といえば、まず計算です。数の大きさのイメージをつかめるまで、しっかりと練習しましょう。大きな数、分数、小数など課題はたくさんあります。単位をうまく使いこなすことも大切なポイントです。面積や体積、速さなど、公式をしっかり覚えて活用しましょう。図やグラフを使って、考え方を整理する力も求められます。また、低学年のうちから、パズルなどを利用して空間認識力をつけておくとよいでしょう。

思考の過程は消してしまわず、ノートに残すようにしましょう。答えだけを書くのではなく、途中の考え方や、途中の式なども、あとで見直したときにわかるようにしておくことが大切です。場合分けをして考えたり、推理力をはたらかせることが求められる科目です。思考を整理するノートづくりを心がけましょう。

問題番号をしっかり明記し、縦横をそろえ、余白をたっぷりと取って、ノートを書いていきましょう。

CHECK!

1 計算力をつける。推理力をつける。

2 空間認識力をつける。

3 数学的思考力をつける。

考え方を繰り返し書くことで、理解が定着します。

半分の大きさ 2年

日付・学習のめあてがはっきり書けている。good!

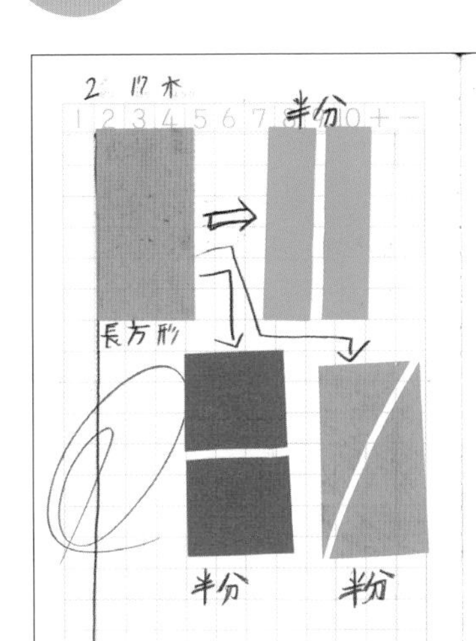

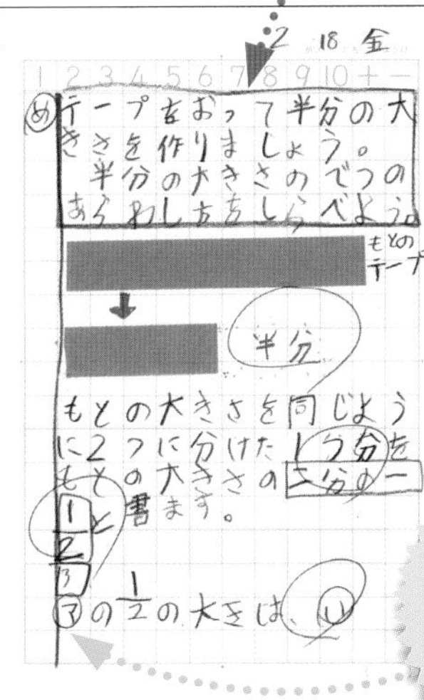

問題番号はしっかり書こう。

答えが何十になるたし算 2年

4/21
学 こたえがなん十になるたしざん
し 17＋3＝20
か 17の7に3をたすと10になるから20になる。
し 36＋4＝40
か 36の6に4をたすと10になるから40になる。
し 24＋6＝30
か 24の4に6をたすと10になるから30になる
し 56＋4＝60
か 56の6に4をたして10になるから60になる

計算している途中の考え方がしっかり書けている。good!

学習の課題は赤で囲もう。

ⓛは式、㋕は考え方のマークを使っているよ。

算数(さんすう)ノートの使(つか)い方(かた) 2年(ねん)

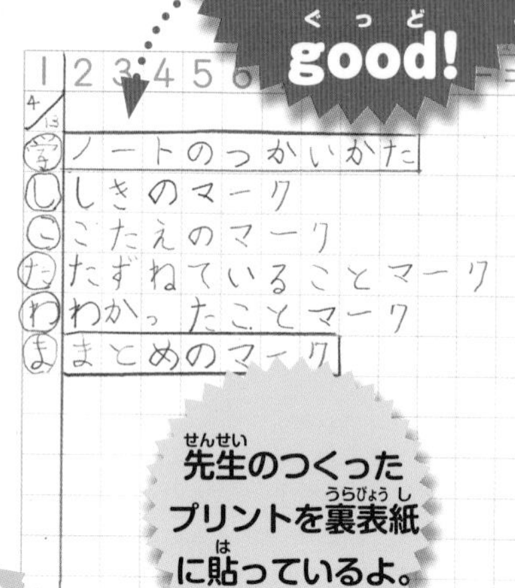

ノートの1ページ目(め)にノートの使(つか)い方(かた)をまとめてある。good(ぐっど)!

先生(せんせい)のつくったプリントを裏表紙(うらびょうし)に貼(は)っているよ。

合体計算(がったいけいさん)をマスターしよう 3年(ねん)

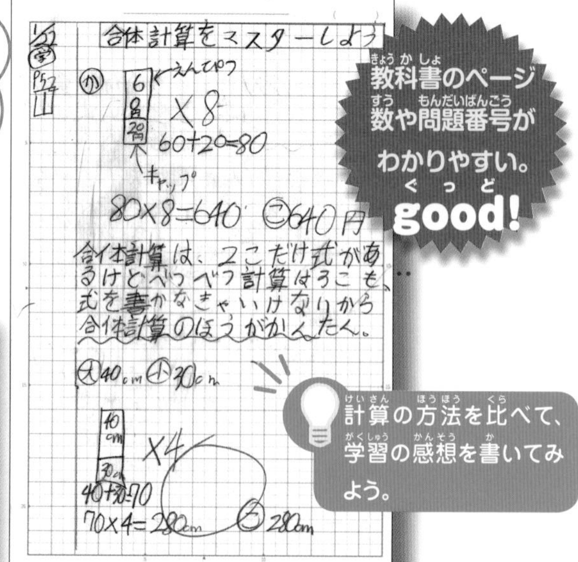

教科書(きょうかしょ)のページ数(すう)や問題番号(もんだいばんごう)がわかりやすい。good(ぐっど)!

計算(けいさん)の方法(ほうほう)を比(くら)べて、学習(がくしゅう)の感想(かんそう)を書(か)いてみよう。

かの部分(ぶぶん)には考(かんが)え方(かた)のわかる式(しき)が書(か)けています。

大きさの等しい分数 5年

日付とタイトルがわかりやすい。

good!

9/27 大きさの等しい分数

$\frac{1}{2} = \frac{2}{4} = \frac{3}{6} = \frac{4}{8} = \frac{5}{10} = \frac{6}{12} = \frac{7}{14} = \frac{8}{16}$

$\frac{1}{3} = \frac{2}{6} = \frac{3}{9} = \frac{4}{12} = \frac{5}{15}$

$\frac{1}{4} = \frac{2}{8} = \frac{3}{12} = \frac{4}{16}$

$\frac{△}{○} = \frac{△ \times □}{○ \times □}$

分数の分母と分子に同じ数をかけても分数の大きさは変わらない

練習

$\frac{1}{4}$と大きさの等しい分数を4つ作りましょう。

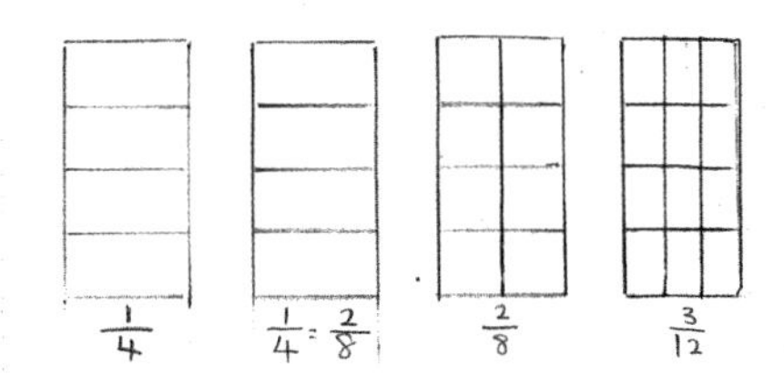

めあて

分母のちがう分数の大小のくらべ方を考えよう。

もんだい

$\frac{2}{3}$と$\frac{3}{4}$の大小のくらべ方を考えよう。

考え

3と4の最小公倍数は12

$\frac{2}{3}$を$\frac{□}{12}$にするには　$\frac{3}{4}$を$\frac{□}{12}$にするには

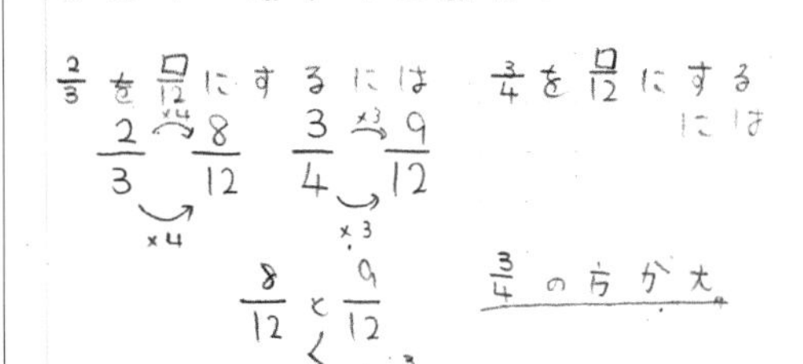

図や表を使って、イメージをわかりやすくしよう。

色線で大事なことを囲むと、よりわかりやすいよ。

2章 NO.13

実験や観察の記録から思考力が育つ

理科のノートづくり

身の回りの自然やことがらについて、なぜだろう?どうしてだろう?と不思議に思ったり、疑問に思ったりする力は、すべての学習意欲の根源となるものです。どんな小さなことでも、それは学びの入り口。その先には、とてつもなく大きなテーマが広がっているものです。まわりを見回してみてください。不思議なことがいっぱいあるのではないでしょうか?

頭に浮かんだ疑問を整理し、どんなことを調べる必要があるか考えてみましょう。

実験などのデータや，観察した結果を表した図や表などは、大きくわかりやすく書くことが大切です。実験では、予想→結果→振り返りのプロセスを大切にノートをとります。授業の内容や実験の手順が書かれたプリントを配られる場合は、ノートに貼り付けて、オリジナルノートをつくるようにしましょう。

CHECK!

1. 不思議発見力を養う。
2. 本質を見抜く力をつける。
3. 論理的、科学的な思考力をつける。

現象の変化を図や言葉を使って整理することが大切です。

いろいろな昆虫の観察 3年

昆虫の名前とすみか、何を食べるのかがわかりやすく表にまとめられているよ。

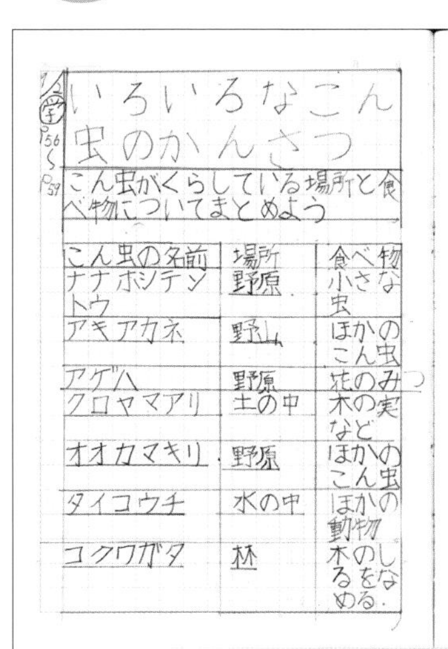

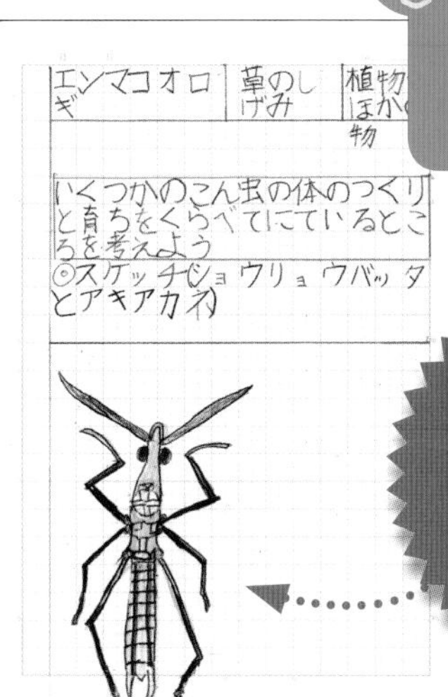

よく観察して、ていねいなスケッチができたね。good!

てこのはたらき 6年

絵の中に動きを→を使って書いているので、わかりやすい。good!

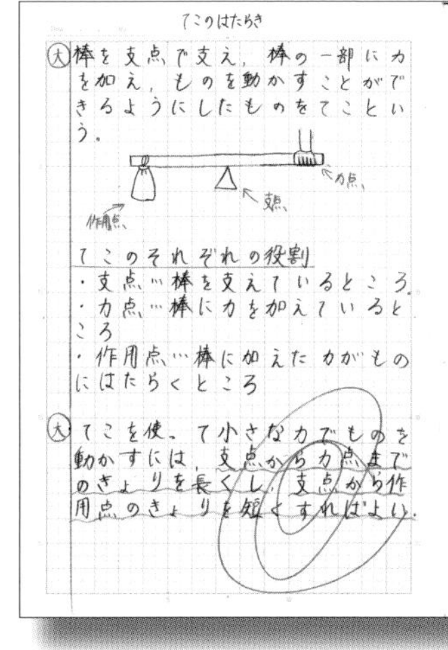

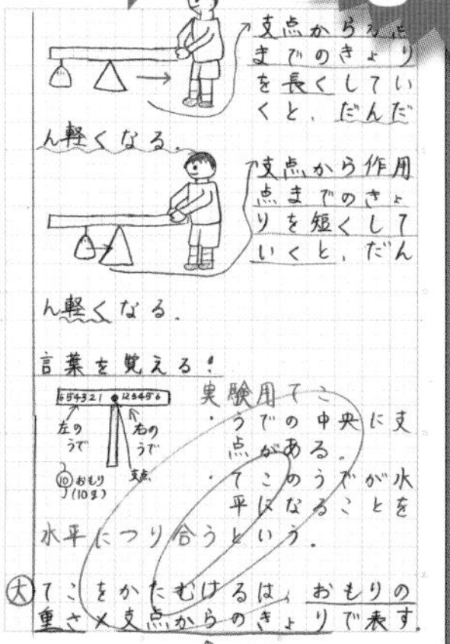

自主勉ノートだよ。よく勉強しているね。

ものの温度と体積 4年

疑問に対する結果をまとめて、線で囲むと見やすいよ。

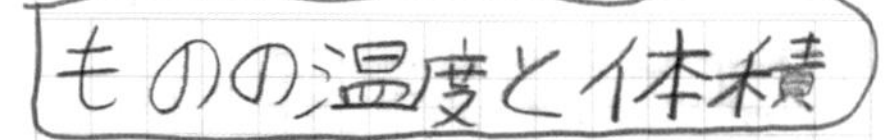

?あたためたよう器のせんがとび出たりせっけんのまくや風船がふくらんだりするのは、どうしてだろうか。

結果
空気は、温めると体積が大きくなり冷やすと体積が小さくなる。

冷やす　ふつう　温める

空気はあばれているので、よく体積が大きくなり分かりやすい

?水も空気のように、温度によって体積がかわるのか

結果
水は、温めると体積が大きくなり冷やすと体積が小さくなる

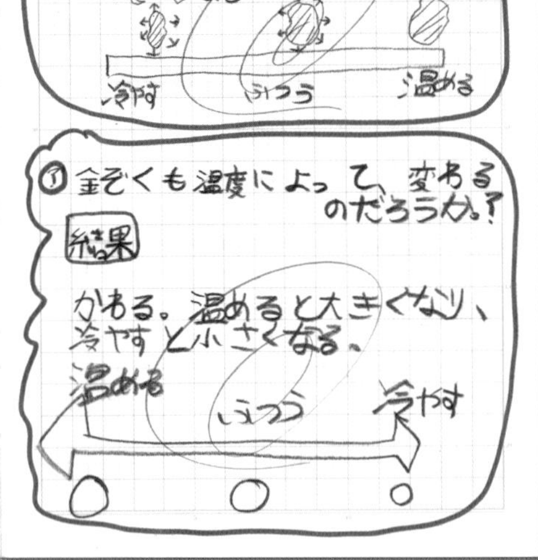

ひとつひとつの疑問について、赤と青の2色使いでわかりやすくまとめている。疑問や結果などの書き方をそろえるのがいいね。

植物と二酸化炭素 6年

☆など自分なりにわかりやすくマークを使っている。good!

(!) ダンゴムシ、ミミズなどは栄養がたくさん入っているふんを出し、重要な働きをしている。だけど、人間が植物を切るので、その先の、虫、カエル、ヘビ、タカも少なくなってしまう。

☆植物は日光があたると、空気中の中の二酸化炭素をとり入れ、酸素を出す。

「食べる・食べら
ある。食べるもの
るものに→をつけ

マカガシ→カエル

7/6

(め)植物は、二酸化炭素を取り入れ、酸素を出しているのだろうか。

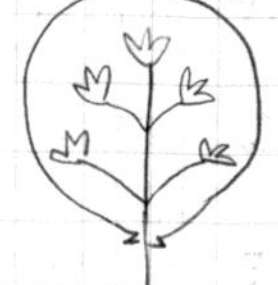

	酸素	二酸化炭素
11:00	12%	0.1%
11:30	18%	0.03%
12:00		

30分ずつ、気体検知管で酸素と、二酸化炭素の量を調べる。

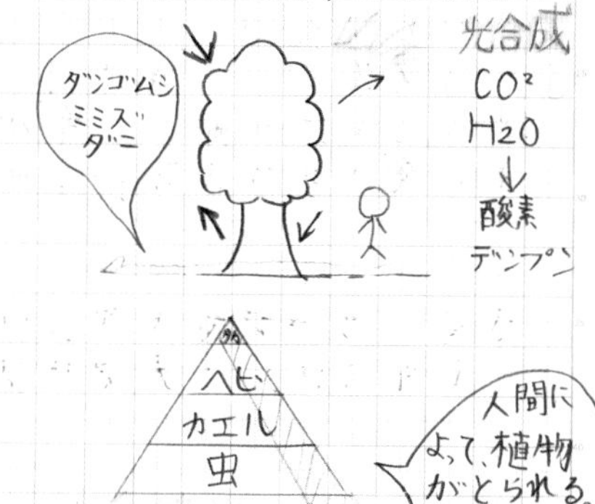

①吹き出しを効果的に使って、見やすくまとめています。
②表や図がわかりやすく書けています。

2章

NO. 14

調べる力、まとめる力が育つ

社会のノートづくり

CHECK!

1 社会生活力をつける。

2 調べる力、まとめる力をつける。

3 関係づける力、地理力、歴史力をつける。

社会は、暗記科目といわれます。確かに、ほかの教科に比べてその傾向が多いことは否めません。しかし、ただ暗記するだけの教科というわけではありません。いま私たちが暮らしている地域のこと、社会のしくみなどを、身近な問題として調べ、考えることが求められています。自分たちが住んでいる地域から、郷土、国、世界のことまで。また現在から、過去、未来のことまで。**さまざまなことを、関係づけて考える力が、社会の勉強を理解する鍵**です。

調べる力、まとめる力が問われます。**資料集や地図帳、白地図などをうまく活用しましょう。**また表や図を使い、重要なポイントを目立たせた覚えやすいノートをつくりましょう。歴史は、主要な人物や出来事を中心にして、歴史の流れや移り変わりを押さえるとGOOD。地理は、都道府県や国の名前や場所を覚え、地域ごとの特色、産業の役割などについてもまとめてみましょう。

いろいろな産業の役割について考えてみよう。

自動車工業について 5年

大事なことやポイントは、色をかえて書くといいんだね!

工場のプラス面とマイナス面

◎製造 自動車を買うん⊙消費者
町に自動車工場ができた。

プラス面	マイナス面
・自動車を安く買える	そう音
	空気が汚れる
・在庫がすぐある	住宅地が減る
・働く場所	環境問題
・税金	交通じゅうたい
	土地
	文化

国に自動車メーカーがある事について

プラス面	マイナス面
経済面	資源問題
お金が動く	環境問題
技術力の向上	貿易ま…

海外
・文化(生活言語)政治(法律っ)経…
新しいものへのアレルギー…

プラス面とマイナス面から分けて考えていくと、より深く学べます。

資料集(P70〜)②
日本は世界有数の自動車生産大国
技術力 せいこう 質 安全
燃費がいい トラブルが少ない
安い
資料集③④
生産した自動車の半分は輸出
〈多はアメリカ〉
外国とのかかわりがとても重要

出荷された自動車はどのようにして私たちのところまでとどくのか

工場→港→自動車運ぱん船→港
→キャリアカー→販売店
専用船で働く人
☆キズをつけない!
最大限の注意をはらう。
☆時間を守る
☆チームで役割分担⇒効率を意識

西村先生のアドバイス

資料集をうまく活用することも大切です。

新しい国づくり 6年

余白があると、こんなことも書けるよ。

9.27金

新しい国づくりの足跡を訪ねよう

㋱ 新しい時代がつくられていく様子を調べよう。

テスト来週!

1853年　ペリーが来航(開国を求める)
→混乱する人々…ペリーに対する恐怖、対応に困る幕府
↓↓
開国へ

必ず覚える!

1854年　日米和親条約
(下田・函館を開港)
2港開港

必ず覚える!

1858年　日米修好通商条約
(函館・新潟・横浜・神戸・長崎で貿易)
5港

治外法権
関税自主権 } 不平等条約 → 改正を目ざす

㋭ 開国をし始めてからの日本は、外国の方が、有利で日本は今でいう、赤字になったと思いました。

今日のポイント!
・1854年　日米和条約　2港開港
・1858年　日米和条約　5港開港

「今日のポイント!」と書いておくと、覚えやすい。線で囲んでもいいね!

歴史の移り変わりをさらに調べよう。

地域のまちづくり調べ 6年

勉強ができるって、どういうこと？

世間で言われている「勉強ができる」ということは、学校の筆記テストでよい点が取れる、つまり記憶力がいいということをいいます。では点数が取れない子は、本当にダメな子なのでしょうか？

学校で習っている分野などというものは、世の中の森羅万象からみると、チリのようなものです。つまりごく限られた範囲でのテスト結果だけを取り上げて、できる子、ダメな子と決めつけることはできないと思います。

まして、親がわが子にダメな子のレッテルを貼るなんて、論外です。

本来、人にはいろいろな才能が備わっており、できないのではなく、まだその子に合った分野が見つかっていないだけなんですよ。誰だって、好きなことにはいくらでも情熱を注ぐことができるし、その道のプロフェッショナルになれるはずです。

一番ダメなのは、自分で自分をダメと決めつけること。

親はよその子と比べるのではなく、わが子の才能を信じて、どこまでも応援し続けてほしいと思います。

3章

習慣化(しゅうかんか)したい家庭学習(かていがくしゅう)ノート

全国学力テストの成績優秀な県の生徒は、
家庭学習に積極的に取り組んでいると
注目が集まっている「家庭学習ノート」。
決められた宿題ではなく、それぞれ自主的に
テーマを決めて、楽しみながら勉強に取り組む
積み重ねは、子どもたちの力を確実に伸ばします。
ここでは、家庭学習ノートのテーマ設定
についても紹介します。

3章

NO. 15

家庭学習ノートを楽しもう！

復習・調べ学習・難しいことにチャレンジ！

◆とにかく興味あることを勉強する

もともと学問とは、自由で、個性的なものです。何に興味を持ち、知識や研究を深め、発見していくかは、個人の自由なはず！

学問するためにはまず、学校で習う教科分けされた勉強が基礎として大事になるわけですが、勉強が「やらされるもの」、言われたことさえやっていればいいという姿勢になってしまってはどうでしょうか。

勉強とは、自分でテーマを決めて創造していくものです。日々、ちょっとした自由研究のような家庭学習にチャレンジしてみましょう。

継続は力なり。毎日短時間でも自ら自主学習に取り組む習慣がある子どもは、確実に力をつけていきます。

自分で工夫して計画をたてよう。

得意なことからはじめ、ときには苦手なことにも挑戦。

CHECK!

1 興味を開発しよう！

2 自主学習は毎日続けよう！

まだ興味が開発されていない子も！

「うちの子は何にも興味がなくて…」というお父さんやお母さんがいます。子どもも知恵がついてくると、面倒くさそうなことからは逃げようとするので、何事もおもしろくなるところまで取り組んでいないことがあります。特に男の子にその傾向が見られます。

子どもがやりたがらないことを無理にさせるのはよくないのですが、だからといって何もさせないのではなく、**導入を手伝ってあげましょう**。いろいろと提示をして、少しでもやれそうな勉強を、1ページの半分でも取り組ませてみます。これは勉強の強制ではなく、興味の開発です。**子どもが自分で興味あることを見つけるのを手伝う**ことは、子どもの自立にもつながります。

家庭学習ノート、自主勉ノート、自由勉強ノート。いろいろな呼び方があるようですが、自分で学びたいテーマを決めて、自由なノートに取り組む小学生は、全国にたくさんいます。3章では実際のノートを紹介していきます。同じテーマでも、いろいろな切り口、いろいろな取り組み方があることがわかります。

テーマ探(さが)しのヒント

テーマは身近(みぢか)なところにいろいろあります。
親子(おやこ)で一緒(いっしょ)に考(かんが)えてみましょう。

お母さんはお花が好き→花の種類を調べる。
おじいさんは胃の病気→体のしくみを調べる。
日記・作文・読書の感想／誰かへの手紙／教科書や新聞の書き写し
言葉の意味調べ／ことわざ調べ／物語や詩を書く／新聞の切り抜きと感想／漢字練習／計算問題／地域の歴史や特産物調べ／自然・環境調べ
日本や世界の山や川／サッカーやバスケットボールなどのルール
昆虫や植物など生き物観察／公害調べ／仕事調べなど。

3章

NO.16

漢字は必ず書いて覚えよう！

練習ノート① 漢字編

家庭学習は、基本的には学校の授業の延長上にあるものです。授業の予習や復習、まとめ、テストの間違い直しなどは、一番取り組みやすいテーマかもしれません。

なかでも、漢字の練習や、算数ドリルの計算などは、繰り返し練習することで、自分の苦手なことがわかり、それを克服することができます。

同じ漢字を使った言葉集め　2年

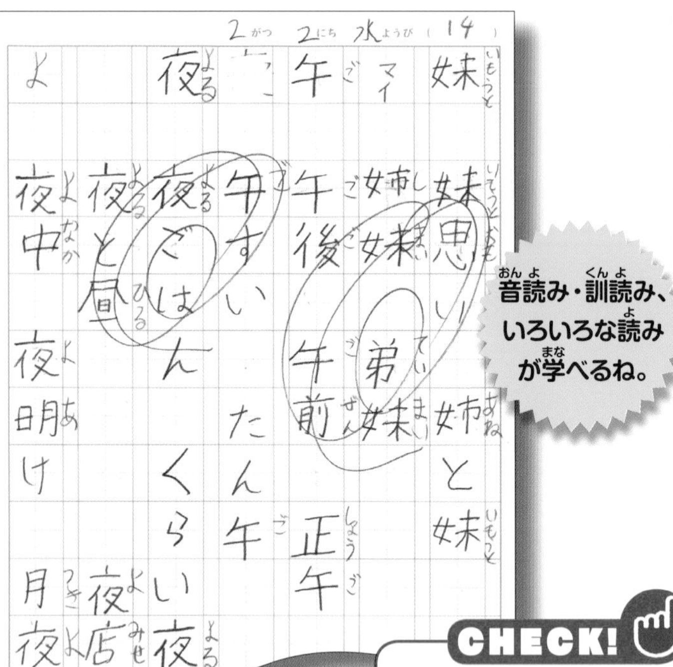

音読み・訓読み、
いろいろな読み
が学べるね。

CHECK!

1 何度も練習して正確に覚えよう。

2 漢字のなりたちにも注目してみよう。

みんなきれいな字で練習しているね!

漢字のなりたちを調べる　1年

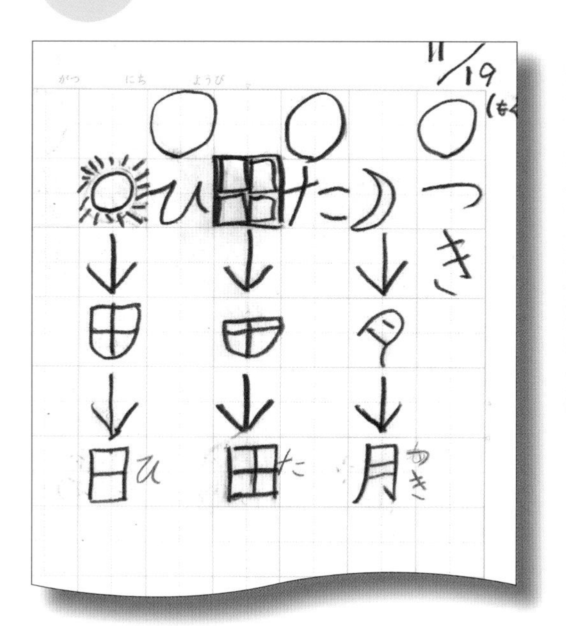

漢字を絵で表すことによって、漢字の意味を理解できる。正確な字を書くことが大切。何度も書くことで、正しく覚えられるよ。

とめ、はねに注意して、ていねいに書こう。

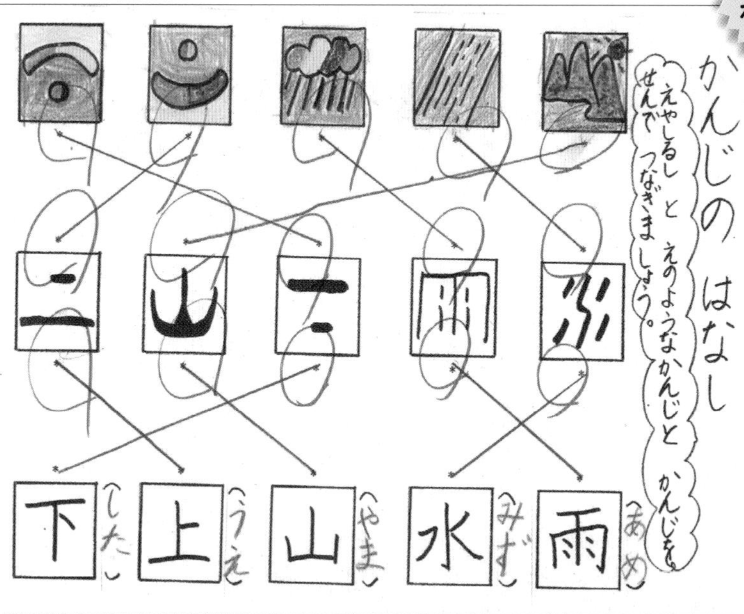

繰り返し練習して苦手を克服！

練習ノート② 計算編

3ケタの引き算・割り算 4年

ケタをきれいにそろえて計算すると間違えないよ。

CHECK!

1 計算に集中する練習をしよう。

2 練習することで自信を持とう。

時間(じかん)の計算(けいさん) 6年(ねん)

問題文(もんだいぶん)や途中(とちゅう)式(しき)、考(かんが)え方(かた)なども書(か)こう。good(ぐっど)!

算数

分数×分数 (P.36)

☆$\frac{2}{3}$時間は何分ですか。

(式)$60 \times \frac{2}{3} = \frac{60 \times 2}{3}$

$= 40$　A 40分

必(かなら)ず問題番号(もんだいばんごう)を書(か)こう。

☆20分は何時間ですか。

(式)$20 \div 60 = \frac{20}{60}$　A $\frac{1}{3}$時間

割(わ)った数字(すうじ)にチェックを入(い)れて計算(けいさん)の順番(じゅんばん)を確認(かくにん)。

☆道路を1時間あたり64m²ほそうする機械で、45分間工事をしました。ほそうした面積は何m²ですか。

$64 \times \frac{3}{4} = \frac{64 \times 3}{4}$

$= 48$　A 48m²

余白(よはく)は多(おお)めにとる。

5.16 水

☆(　)の中の単位で表しましょう。

㋐$\frac{1}{4}$時間(分)

(式)$60 \times \frac{1}{4} = \frac{60 \times 1}{4}$

$= 15$　A 15分

㋑$\frac{7}{6}$時間(分)

(式)$60 \times \frac{7}{6} = \frac{60 \times 7}{6}$

$= 70$　A 70分

㋒30秒(分)

(式)$30 \div 60 = \frac{30}{60}$

$= \frac{1}{2}$　A $\frac{1}{2}$分

間違(まちが)ったところを見直(みなお)して、もう一(いち)度解(どと)き直(なお)すところまでが1セット。good(ぐっど)!

計算問題(けいさんもんだい)は自分(じぶん)で答(こた)え合(あ)わせをして○をつける。

学習したことをまとめてみよう!

復習ノート① 理科編

どの教科も学習したことを復習するには、自分なりにまとめてみるのが一番です。家庭学習ノートで、まとめる力を育てましょう。まとめる力がつくと、整理する力、理解する力、記憶する力もアップします。テスト前にテスト範囲に学習したことをまとめると、よいテスト勉強になります。

ふりこの運動 5年

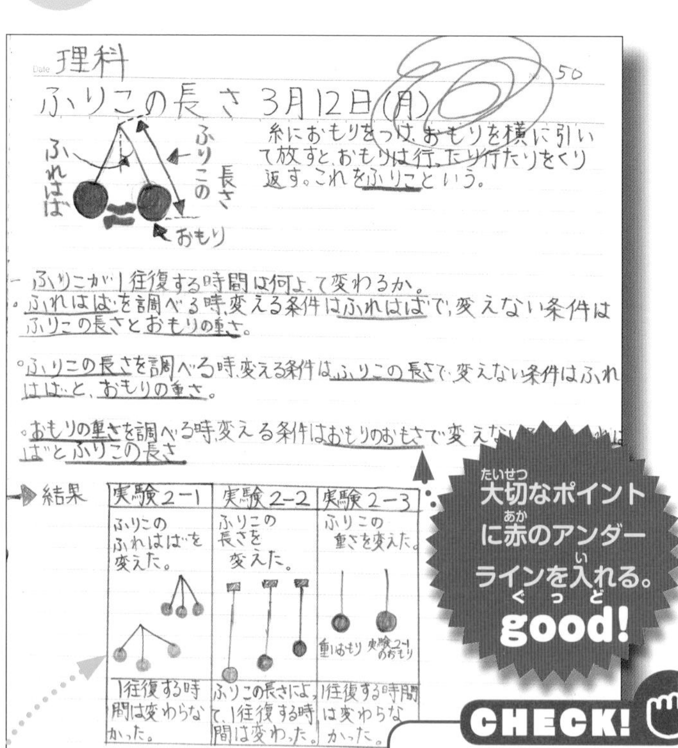
理科 50

ふりこの長さ 3月12日(月)

糸におもりをつけ、おもりを横に引いて放すと、おもりは行ったり行たりをくり返す。これをふりこという。

ー ふりこが1往復する時間は何よって変わるか。

。ふれはばを調べる時変える条件はふれはばで、変えない条件はふりこの長さとおもりの重さ。

。ふりこの長さを調べる時変える条件はふりこの長さで変えない条件はふれはばと、おもりの重さ。

。おもりの重さを調べる時変える条件はおもりのおもさで変えな … ばとふりこの長さ

→ 結果

実験2-1	実験2-2	実験2-3
ふりこのふれはばを変えた。	ふりこの長さを変えた。	ふりこの重さを変えた。
1往復する時間は変わらなかった。	ふりこの長さによって、1往復する時間は変わった。	1往復する時間は変わらなかった。

ふりこが1往復する時間は、ふれはばやふ… ない。ふりこの長さによって変わる。

大切なポイントに赤のアンダーラインを入れる。good!

実験結果を表にまとめて整理しよう

CHECK!

1. 絵や表を使ってわかりやすくまとめる。
2. 整理をしながら覚えよう。

ものの燃え方と空気 6年

絵を描くとわかりやすいね。

内容を思い出しながら、教科書や授業ノートを見直してまとめてみよう。

実験の流れや結果を、絵や図を書きながら整理して復習しよう。

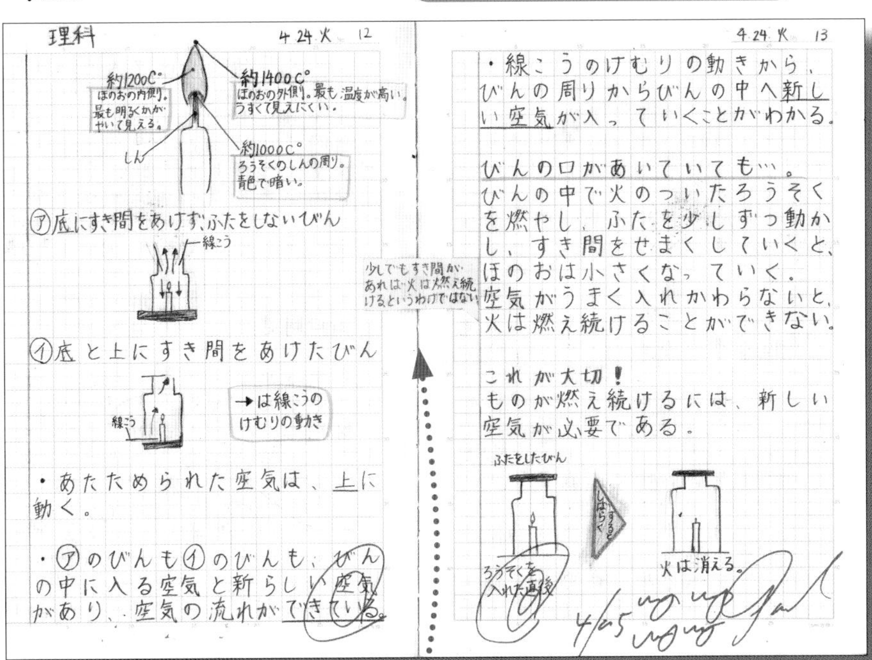

授業で学習した内容を、さらに深めて勉強してみる。調べ学習をする。

ポイントを色を変えて、目立たせる。good！

ポイントや、注意点などを吹き出しに書き込むのもいいね！

苦手なところをまとめてみよう!

復習ノート② 社会編

日本のまわりの国 6年

地図を貼ってまとめるのがgood!

3月4日 苦手なところ(社会)

ユーラシア大陸
…世界で最も面積の大きな大陸。

中華人民共和国
…日本の西側にある国。

イギリス
ロシア連邦(ロシア)
ユーラシア大陸
北アメリカ大陸
西部には険しい山脈、中央部には平野が広がるよ。
フランス
中華人民共和国(中国)
大韓民国(韓国)
アメリカ合衆国(アメリカ)
大西洋
サウジアラビア
太平洋
赤道
インド洋
オーストラリア大陸
世界で最も面積の小さな大陸。日本の真南にある。
アフリカ大陸
世界最大の砂漠、サハラ砂漠があるよ。
南極大陸
どこの国にも属さない、氷におおわれた大陸。
オーストラリア
ブラジル
南アメリカ大陸
日本とは地球の反対側にある大陸。

大韓民国
…日本のとなりにあって、日本の本州とほぼ同じ緯度にある国。

太平洋
…世界で最も広い海洋。

・世界には、6つの大陸と3つの海洋がある。

・赤道を0度として、地球を北と南にそれぞれ90度ずつ分けたものを緯度という。

緯度と経度
イギリスの ロンドン
北極(北緯90°)
赤道(緯度0°)
経線

CHECK!

1. オリジナルの参考書をつくろう。
2. 資料集や年表、地図帳なども見ながらまとめよう。

順番や関係を考えてまとめるんだね。

暗記することが多い社会科は、まとめて覚えよう!

大切なところ・苦手なところを重点的に、整理してまとめる!

苦手なところ 復習

武士の政治

源頼朝が鎌倉幕府を開いて、武士の政治を始めた。

↓武士の生活は…。

㊅武士は、農業を営み、自分の領地を守るため、戦いに備えて、武芸にはげんでいた。

任命 幕府 任命

地頭
犯罪の取りしまりや、年貢を取り立てる仕事。

有力な御家人が任命された。

守護
警察や軍事の仕事を担当し、戦いの時は武士たちを率いて戦った。

・織田信長は足利氏を京都から追放し、室町幕府をほろぼした。
→ポイント! 築いた城は安土城。

・豊臣秀吉は、二度にわたって朝鮮に大軍でせめこんだ。
→ポイント! 築いた城は大阪城。

歴史を図表にまとめて覚えやすく工夫。

工業のさかんな地域
○大都市の周辺（名古屋・東京・大阪）→労働力（働く人）の確保
○海に面して発達…船で運ぶ（材料・製品）
輸入・輸出に便利

○広い平野や大きな川がある。
○交通に便利（鉄道・航路・高速・港）

太平洋ベルト
①中京工業地帯
②阪神
③瀬戸内工業地域

大工場－中小工場
・300人以上 ・1人～299人 ←はたらく人

太田区の工場数…4362
↳中小工場が全体の90%
①機械工業（54%）
②金属工業（24.3%）

すぐれた技術を持ったまち工場が集まっている。

中小工場
- 工場…90%
- 働く人の数 4分の3
- 生産額…およそ半分

工業のさかんな地域 5年

大切なポイントをすっきり整理している。good!

テスト勉強として、まとめ学習に取り組む。

問題を書き写して考えよう！

復習ノート③ 算数編

直方体の復習 4年

まとめてわかったことを簡潔に見やすく書いている。good!

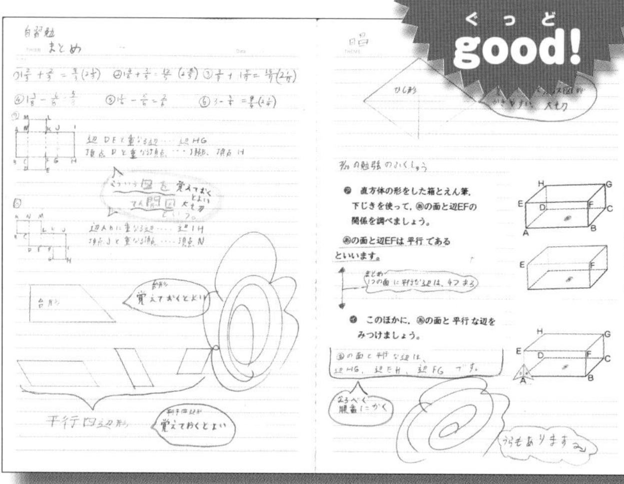

直方体の形をした箱とえん筆，下じきを使って，辺EAとあの面の関係を調べましょう。

辺EAはあの面に 垂直 である
といいます。

このほかに，あの面に 垂直 な辺をみつけましょう。

あの面と垂直な辺は、
辺HD、辺GC、辺FB です。

なるべく順番で書く

(まとめ)
1つ面に垂直な辺は4つある。

感想
面と面，辺と辺，面と辺の関係がよく分かりました

すごい！ 分かりやすく まとめました

プリントを上手に使ってまとめているね。

CHECK!

1 数学的な考え方を書き残す練習をしよう。

2 公式をしっかり覚えよう。

文字と式 6年

問題を絵に表して考えている。good!

練習だけではなく、算数もまとめることでポイントが整理できるよ。

文字と式

右のあめの中から同じあめを5本と150円のチョコレートを1枚買う。

40円 60円 150円

(1) あめ1本の値段をx円、代金の合計をa円として、xとaの関係を式にあらわそう。

あめの代金 チョコレートの代金 代金の合計

[式] x×5+150=a

(2) 代金の合計が450円だったとき、1本何円のあめを買ったのかを求めよう。

xが40のとき
40×5+150=350
A、350円

xが60のとき
60×5+150=450
A、450円

右のパンの中から同じパンを3個と110円のジュースを1本買う

120円 130円 りんご 110円

(1) パン1個の値段をx円、代金の合計をa円として、xとaの関係を式にあらわそう

[式] x×3+110=a

書くことで、算数独特の表記の特徴に慣れよう。

テスト勉強として、まとめ学習に取り組もう。

難しいことは整理して覚える！

復習ノート④ 国語編

ポイントをまとめることで頭が整理されるよ。

対の意味を持つ言葉

・原因ー結果　・勝利ー敗北

多義語（複数の意味を持つ言葉）

手
- ①人の体の左右から出ている部分。
  - (例)手をふって歩く。
- ②手首の先の部分。
  - (例)手をたたいて笑う。
- ③方法。やり方。
  - (例)うまい手を思いつく。

→ポイント！
多義語は、文の中でどのように使われているかをとらえて、意味を判断する。

主語、述語、修飾語の使い方

母は、保育園で働いている。
主語　修飾語　述語

・主語…文の中で「何が」「だれが」を表す部分。
→ポイント！「～が」や「～は」など。

・述語…文の中で「どうする」「何だ」「どんな」を表す部分。

・修飾語…文の中で「どんな」「何を」「どのように」「どこで」を表し、主語や述語などをくわしく説明する部分。

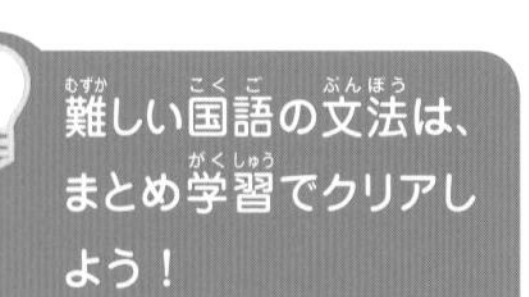

難しい国語の文法は、まとめ学習でクリアしよう！

CHECK!

1. 文法や言葉の意味を押さえよう。
2. 文章を書くことを楽しもう。

類義語・対義語・多義語の使い方 6年

国語　苦手なところ

類義語，対義語，多義語の使い方

類義語（意味の似ている言葉）
・欠点ー短所　・希望ー願望
・準備ー用意

目標ー目的
・今年の目標を決める。
↳実現しようとして目指しているねらい。
・この旅の目的は，温泉に入ることだ。
↳あることを行うときに，こうしたいと思っている事柄。

≫ポイント！
意味が似ていても，文の内容によってふさわしい言葉とそうでない言葉がある。

対義語（反対の意味や，対の意味を持つ言葉
反対の意味
・買うー売る　・増えるー減る

苦手なところをていねいにまとめている。good！

漢字練習、言葉の意味調べ、視写（書き写し）。国語は読んで、書いて、覚えよう！

工業のまとめ 6年

冊 音サツ　5画 冊 どうがまえ
二本書く

批 音ヒ　7画 批 てへん
比と書く

閉 音ヘイ　訓と(じる) し(める) し(まる)　11画 閉 もんがまえ
少し出す

～漢字で書く生物と食べ物

・百足…むかで
・鳩…はと
・秋刀魚…さんま
・鯱…しゃち
…しょううお

漢字の間違いやすいポイントを赤と青の色を使ってチェック！

どんな教科も復習ノートが役立つ！

復習ノート⑤ 家庭科・音楽・保健編

調理・ガスの使い方 5年

7.6（水）家庭科

× ほのおが横からはみ出ないようにする。 ○

なべや、やかんの底がぬれていたらふいておく。

チェック
点火前 そばに燃えやすいものはないか。
点火後 火がついているか。
ほのおがはみ出していないか。
部屋のかん気はしているか。
消火後 確実に火が消えているか。
ガスせんは閉めたか。

ガスもれに気づいたとき
・ガスせんを閉め、まどを開ける。
・かん気せんなどのスイッチにふれない。

はかる→洗う→切る→加熱する→味をつける→もりつける→配ぜん

上皿自動ばかり
①平らな所におく。
②針を0に合わせる。
③はかる物を静かにのせる。
④正面から目もりを読む。

容器に入れてはかったときは容器の重さを引く。

計量スプーン 大さじ（15mL） 小さじ（5mL） すりきりべら

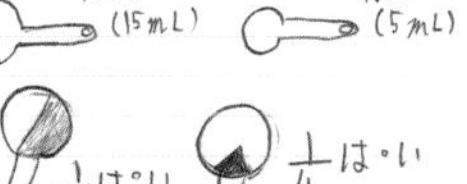

まとめ学習がすばらしい！

危ないこと、注意することを絵で見やすく！

はかり方を絵でまとめているよ。

CHECK!

1 絵を描いてわかりやすくまとめる。

2 記号などは書いて覚えよう。

テスト勉強としてまとめ学習に取り組んでいるね。

リコーダーの指使い 6年

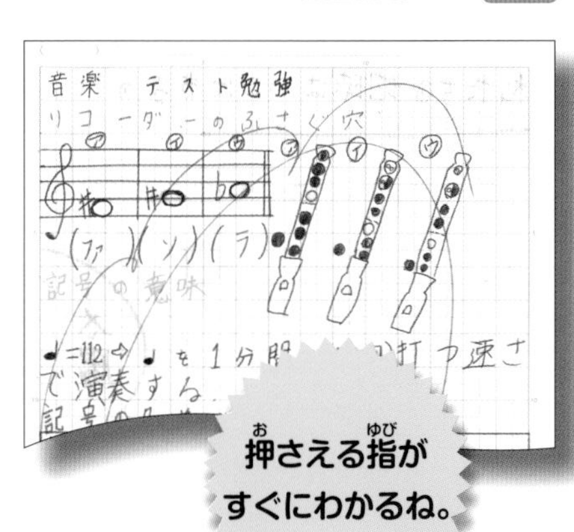
音楽 テスト勉強
リコーダーのふさぐ穴
(ファ)(ソ)(ラ)
記号の意味
♩=112 ⇔ ♩を1分間に…打つ速さで演奏する。

押さえる指がすぐにわかるね。

音楽の記号 6年

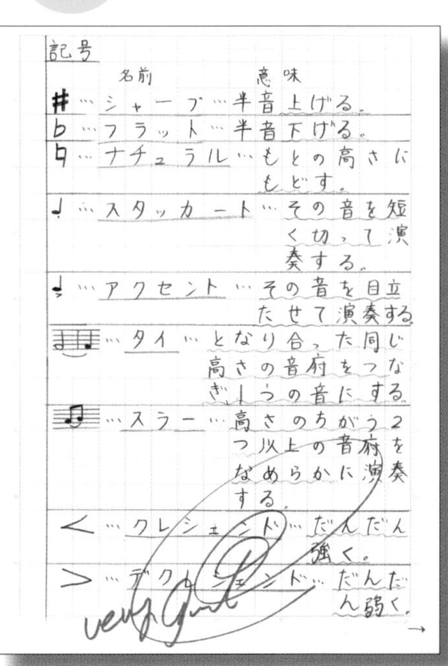
記号
名前 意味
♯…シャープ…半音上げる。
♭…フラット…半音下げる。
♮…ナチュラル…もとの高さにもどす。
…スタッカート…その音を短く切って演奏する。
…アクセント…その音を目立たせて演奏する。
…タイ…となり合った同じ高さの音符をつなぎ1つの音にする。
…スラー…高さのちがう2つ以上の音符をなめらかに演奏する。
<…クレシェンド…だんだん強く。
>…デクレシェンド…だんだん弱く。
very good

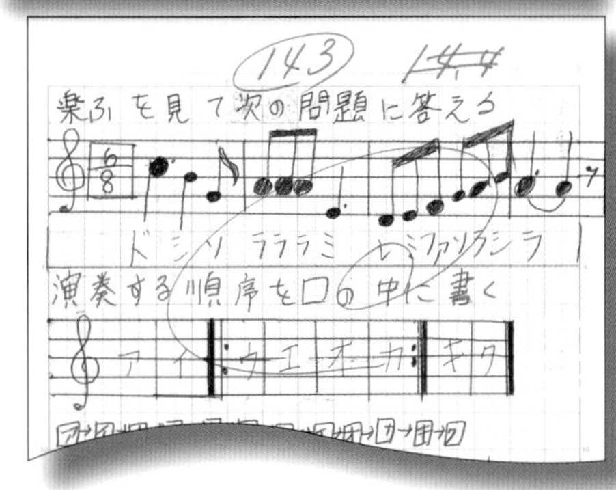
143
楽ふを見て次の問題に答える
ドシソ ラララミ レミファソラシラ
演奏する順序を口の中に書く
ア イ ウ エ オ カ キ ク

けがの防止 6年

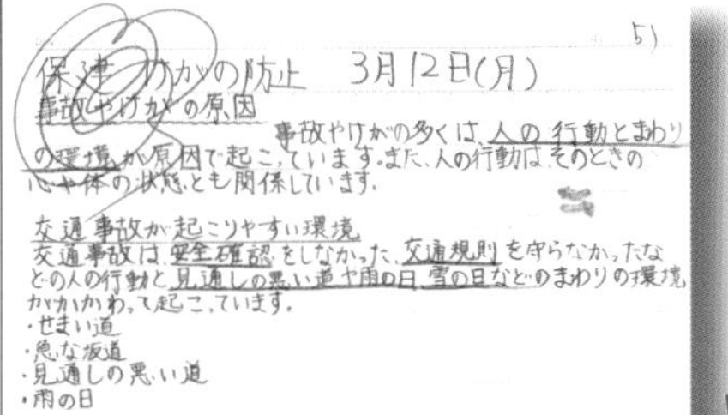
保健 けがの防止 3月12日(月)
事故やけがの原因
事故やけがの多くは、人の行動とまわりの環境が原因で起こっています。また、人の行動はそのときの心や体の状態とも関係しています。
交通事故が起こりやすい環境
交通事故は、安全確認をしなかった、交通規則を守らなかったなどの人の行動と見通しの悪い道や雨の日、雪の日などのまわりの環境がかかわって起こっています。
・せまい道
・急な坂道
・見通しの悪い道
・雨の日
けがの防止
けがを防ぐには危険を予測し正しい判断をして、安全に行動することが大切です。
学校での安全な環境づくり
・ゴールの防護柵
・階段やろうかの通行区分線
・ブランコの防護柵
・校しゃの補強

見やすく整理して書いている。good!

間違えたところを確認して覚える

テスト直し① 理科・算数編

テストが返ってきたら、お子さんは自分の答案をしっかりと見直していますか。親は点数だけを気にしていませんか。点数よりも、なぜ間違えたのか、その理由を見つけておきましょう。家庭学習ノートで、同じ間違いを繰り返さないように、自分なりにまとめておくことがおすすめです。

算数のテスト直し 6年

❷図が大きくわかりやすい。

❶注目したいところを赤字に！

❸公式をしっかり押さえて書いている。

❺自分なりのまとめとわかりやすい表で復習しやすい。

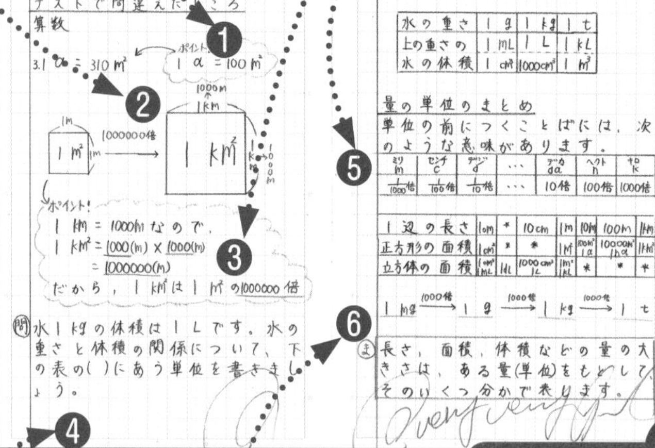

❹問題も書く。

❻まとめもしっかり。

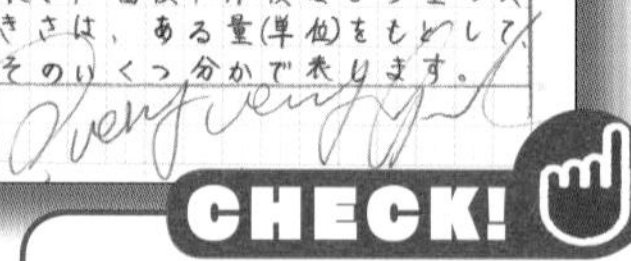

1. どこを間違えたかをチェック！
2. 同じ間違いを繰り返さないようしっかり覚えておこう。

とてもわかりやすくまとめている。

一年のまとめ 6年

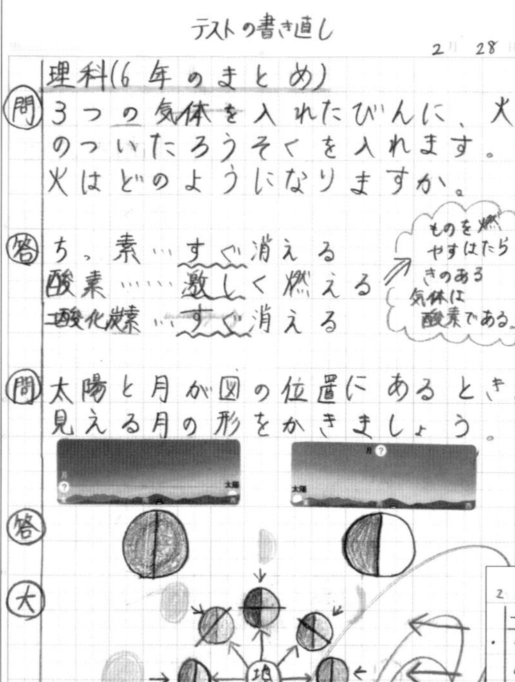
テストの書き直し

2月 28日

理科(6年のまとめ)

問 3つの気体を入れたびんに、火のついたろうそくを入れます。火はどのようになりますか。

答 ちっ素…すぐ消える
酸素……激しく燃える
二酸化炭素…すぐ消える

ものを燃やすはたらきのある気体は酸素である。

問 太陽と月が図の位置にあるとき、見える月の形をかきましょう。

答

大

太陽と月の関係や、月が見える形を図と色分けでわかりやすくまとめているgood!

学んだ単元ごとに整理して書いている。

2月 28日

一年間の大切なまとめ

・ものが燃えると、空気中の酸素の一部が使われて二酸化炭素ができる。二酸化炭素ができたことは、石灰水が白くにごることで確かめられる。

・鼻や口から吸った空気は、気管を通って左右の肺へ入る。そして、空気中の酸素の一部を血液中に取り入れ、血液中の二酸化炭素を、はき出す空気の中に出す。→呼吸という。

・血液は心臓のはたらきによって、全身へ送り出される。血液は体の中をめぐりながら、体に必要な養分や酸素、不要な二酸化炭素を運んでいる。

・根物の根から取り入れられた水は、根やくきの中の水の通り道

間違いを見直して、この次は間違わないようにしよう!

テストのコピーを貼って見直す

テスト直し② 社会・国語編

日本とつながりの深い国々 6年

テストの書き直し

2月 21日

社会(日本とつながりの深い国々)

ア 日本の貿易相手国
イ 日本とアメリカの貿易
ウ ブラジルへ移り住んだ日本人の数の移り変わり
エ 海外に住んでいる日本人と日本に住んでいる外国人

問 資料にあうもの2つに、○をつけましょう。

答 ・日本人は、海外では、アメリカに最も多く住んでいる。(○)
・日本のアメリカへの輸出額は、10兆円をこえている。(○)

問 あなたが学習した国はどこですか。地図に色をぬりましょう。

オーストラリア

オーストラリアを調べていてすごいと思ったこと
・オーストラリアの学校では、沖縄のエイサー、日本の剣道も習っている。
・サングラスをかけることが義務。
・オーストラリア人は、日本食のことを「ダイエット食」

CHECK!

1 テストの問題文もしっかり書こう。

2 資料や地図などはコピーして貼ろう。

テストで出たグラフや地図のプリントを貼ってまとめると、頭に入りやすいよ。

国語の読解問題 6年

12 1 土

テストの書き直し

国語

問 中原さんは、「体が固まってしまった」ときに思ったことを整理して、暴力についてどう書いていますか。

イ ところが、先日、こわい体験をして、身近な争いと戦争がつながった気がした。夜、母と街を歩いていると、少し先の路上で男性が二人、大声で言い合いを始め、とうとうつかみ合いになったのだ。こわくて、こわくて、体が固まってしまった。そのとき、わたしは思った。こうして暴力を用いても、二人の問題は解決しないだろう。周りの人の心も傷つけ、何一ついいことなどないのに、どうして暴力をふるうのだろうと。そして、もしかしたら、それは戦争にもいえることなのではないかと。

答 暴力を用いても、二人の問題は解決しないだろう。

・周りの人の心も傷つけ、何一ついいことなどないのに、どうして暴力をふるうのだろう

読解に大切な部分には、赤の波線を引いている。good!

言葉の意味 6年

テストの書直し　3月5日

国語

問 つぎの言葉の意味を下からえらんで、●—●でつなぎましょう。

3，屈強　2，寸暴　1，痛切

体力がじょうぶで、じもっよりようす。
とてもつよく心に感じる様子。
商売でお金が入ってくる状態。
ちょっとしたけしき。

ポイント！利益という。

問（　）にあう言葉を、□から選んで書きましょう。

ひそむ・はばかる・たぐる・さとる・しとめる

それぞれの言葉の意味

ひそむ…①こっそりかくれる。
②内にかくれていて、外にはっきりでない。

ポイントを目立たせている。

文章と問題文も書き直して、間違えたところをじっくり復習。

テストを書き直しすることを面倒がらずにやっていくと、実力がついてくるよ！

① 地域に目を向けて調べてみよう

自由課題の家庭学習ノート

自由課題の家庭学習

さて、ここからは家庭学習ノートの発展編です。自由にテーマを見つけて取り組んでいる家庭学習ノートを紹介します。教科も、切り口も、いろいろです。お子さんが今、興味を持っていること、不思議だなと思っていることは何でしょうか。身の回りのちょっと不思議なことから、外国のこと、宇宙のことまで、テーマは無限大です。一緒にチャレンジ＆エンジョイしてみてください。

まずは、**自分の住んでいる地域に目を向けてみる**のもおすすめです。自分の家を中心にした地図を書いて、**暮らしを取り巻く環境を考えてみる**のもいいですね。地域に、歴史のあるお祭りや、行事、建物、名産品などはありませんか？　古墳やお城、博物館等がある場合は、ぜひ足を運んでみましょう。

家の庭や近くの公園には、どんな花が咲いているでしょうか。子どもたちのまわりでは、いまどんなことが起きているでしょう。

CHECK!

1 自分の住んでいる地域に目を向けよう。

2 歴史や文化などを調べて、ノートに書こう。

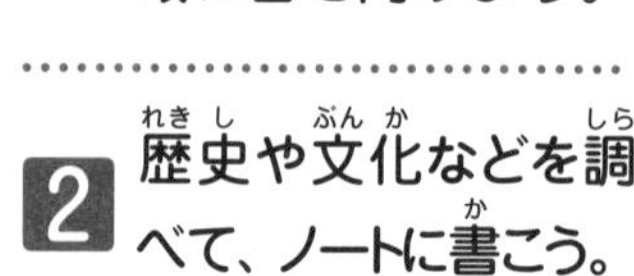

古墳調べ 高学年

家の近くの古墳公園の看板の文を写してみたよ!

4 12 金 3

下吉田古墳群 ※南公園に書いてある事を写しました。

背後の蔦ノ巣山からは南西方向には生した標高20m前後の低丘陵上に古墳群は分布し、そのはんいは、東西約800m、南北約150mに及びます。昭和45年(1970年)と昭和56・57年の調査により、61基の古墳が確にんされており、5世紀後半から7世紀初頭に営まれたものであることが明らかになっています。
墳形は大半が円形で、一部に方形とた円形が所在します。墳丘の規ぼは最大が43号墳(径14.6m)で、周溝を伴っています。大半は径10m以下の小墳で最小は51号墳(径5.8m)で内部のまいそう施設は横穴式石室が主ですが、それよりも古い形態であるたて穴系横口

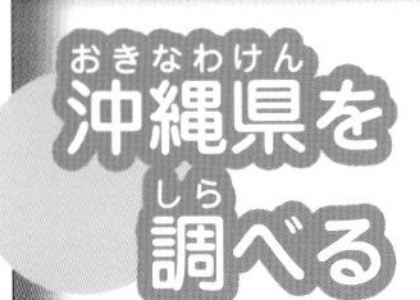

6.22
沖縄県の与那国島は、日本の一ばん西にあり、年じゅうあたたかい気候を生かし、さとうきびを栽培している。またこの島では、米が年に2回つくれている。

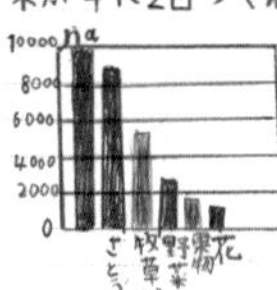

農作物の作付面積

与那国島ー黒潮の通り道
秋から冬にかけてかじきの水あげ量が多く、主に九州に出荷される。
100kgもあるかじきを1時間かけてつりあげる。一日に一ぴきとれればいいほう。
大変なのは、しけのあったときで命がけでもどってくることもしばしばある。また、最近は、魚がへっている事や燃料の重油代が上がっている事がなやみ。

沖縄県の自然ーさんごしょう、美しい海。
文化ー沖縄料理→チャンプル 沖縄そば 海ぶどう

伝とう的なおどり「エイサー」・海の祭り「ハーレー」
首里城(琉球王国)

沖縄県の人々は、平和なくらしと、美しい海を未来に伝えたいと願っています。

行ってみたいところ、旅行に行ったところについてくわしく調べてみよう。

自由課題の家庭学習ノート ② 世界の国旗や世界遺産調べ

世界の国旗 中学年

サッカーの試合を観るときは国旗に注目! 世界地図で位置を探してみよう。

CHECK!

1 世界の山や川について調べて、ノートにまとめる。

2 いろいろな国のことを調べると視野が広がるよ。

日本の世界遺産 高学年

世界遺産になった年を調べて、書いておくといいね。

Date　/　/　　No. 53

世界遺産(日本には世界遺産が14こある。)
石見銀山遺跡とその文化的景観(島根県)
原爆ドーム(広島県)
厳島神社(広島県)
屋久島(か児島県)
法隆寺地域の仏教建造物(奈良県)
姫路城(兵庫県)
古都京都の文化財(京都府)
古都奈良の文化財(奈良県)
紀伊山地のれい場と参詣道(和歌山県・三重県・奈良県)
白神山地(青森県・秋田県)
知床(北海道)
日光の社寺(栃木県)
白川郷・五箇山の合しょう造り集落(岐阜県・富山県)
琉球王国のグスクと関連す遺産群(沖縄県)

よくがんばっていますね。
感心しています。
「継続は力なり」
6年生でも
続けて下さいね!
お!
春休み中も…ね ^^

日本には、ほかにも自然がすばらしいところや、歴史的な価値のある文化財がたくさんあります。地図を広げて調べてみると、地理への興味が広がりますよ。

自由課題の家庭学習ノート
③オリジナルの日本地図をつくってみよう

近畿地方と中部地方　中学年

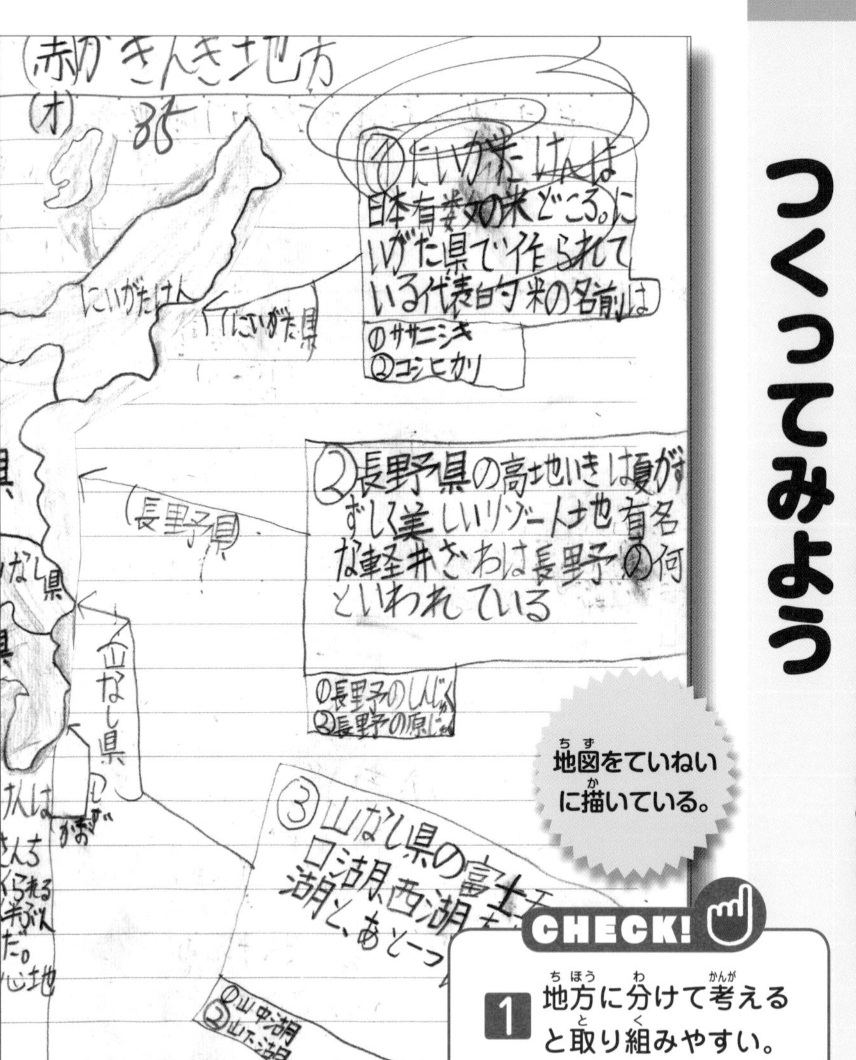

地図をていねいに描いている。

CHECK!

1 地方に分けて考えると取り組みやすい。

2 クイズ形式にして、質問と答えを書こう。

地理の勉強になるノートだね。
地方を分けて、色を変えて目立たせている。
地方の特産物などを調べてもおもしろいよ。
西村先生のアドバイス
クイズ形式にすると、問題を考えることも勉強になります。覚えやすくするための楽しい工夫をしていますね。

自由課題の家庭学習ノート
④生き物観察ノートをつくる

ホウセンカを植える 中学年

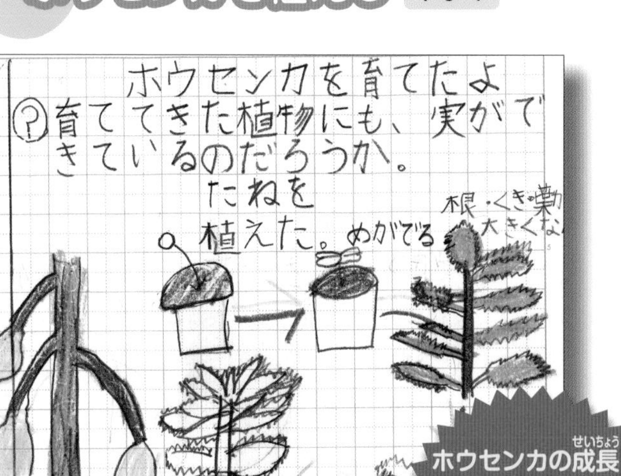

ホウセンカの成長が絵でわかりやすくかいてある。good!

僕の好きなタイツリソウ 中学年

押し花が貼ってあるね。

CHECK!

1. 虫のとり方、飼い方についてまとめてみる。
2. 家の近くの街路樹、公園の草木などを観察してみよう。

モンシロチョウの育ち 中学年

・目やしょっ角でみの回りのようすをかんじとっている。

モンシロチョウ
あしは6本、はねは4まいで、むねについている。
チョウの体は、頭・むね・はらからできている。
よう虫とせい虫とでは、口の形がちがっていて、食べ物もちがう。

幼虫からチョウになるまでの生態について細かくていねいに観察し、記録することは、勉強の積み重ねになります。

⑤身の回りの自然観察ノート

自由課題の家庭学習ノート

星の観察 中学年

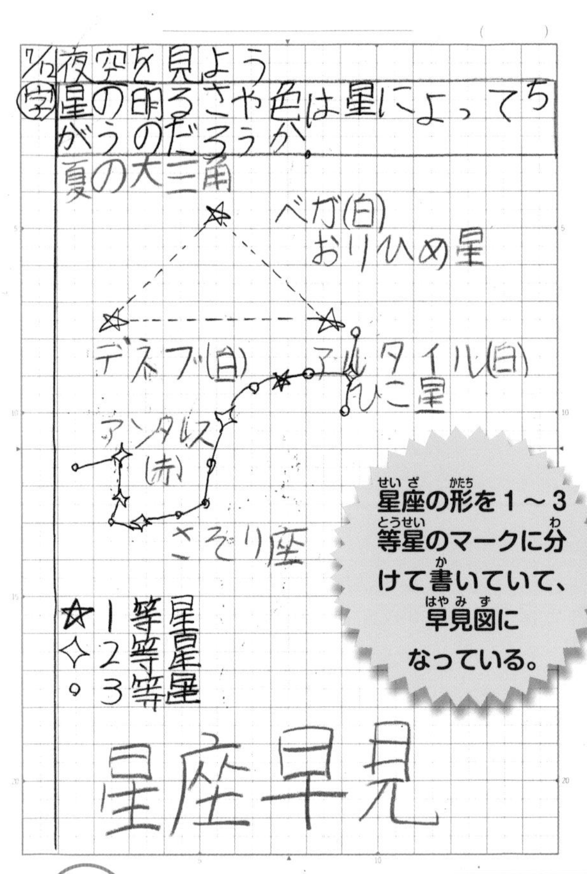

星座の形を1～3等星のマークに分けて書いていて、早見図になっている。

疑問に思ったことを観察したり、調べてまとめているね。

CHECK!

1. 観察したことをノートに整理して書く。
2. 自然現象の不思議に注目してみよう。

星の明るさ 中学年

毎日空を見上げる習慣がつくと、いろいろな発見があるよ！　月や雲の観察もおもしろいね。

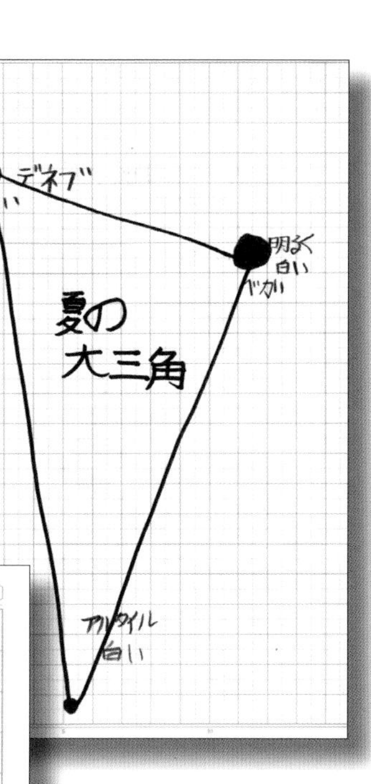

夜空にかがやく月や星

?星の明るさや色は、星の色によってちがうのか

結果

色は、ちがう。それは温席にちがいがある。青いのが、やく30000℃ぐらい。赤が、3000℃くらいで、ベガなどは、人間いってはもうしゅん間的に死んでしまうような所

星座の由来となった神話について調べるのも、おもしろいよ

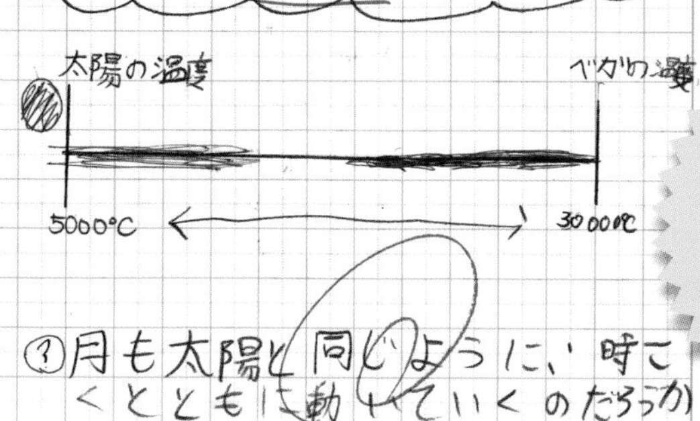

星の明るさと温度について図を入れている。結果を囲んでおくと、よりわかりやすくなる。

自由課題の家庭学習ノート ⑥百人一首・ことわざの書き写し

百人一首書き写し 高学年

五七五七七に合わせて書き写しているね。

ことわざの意味や使い方を勉強するだけでなく、自分で創作しているのがよいですね。犬棒かるたなどを書き写してもおもしろいと思います。

CHECK!

1. ことわざから、昔の人々の知恵を知ろう。
2. 百人一首やいろはかるた、地域のかるたにも注目してみよう。

ことわざの意味と創作 中学年

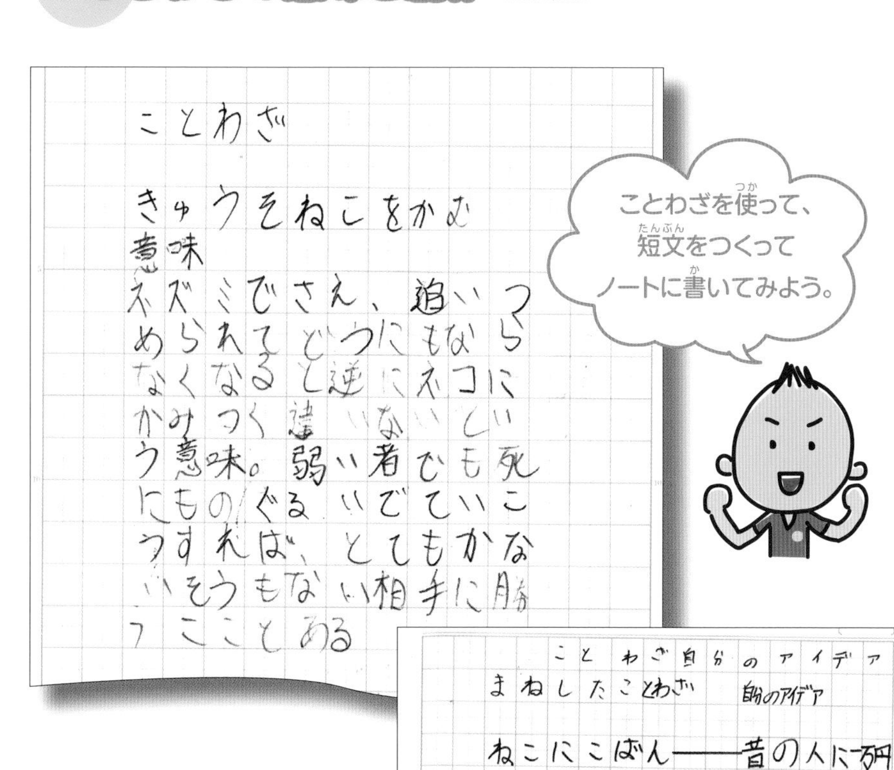

ことわざを使って、
短文をつくって
ノートに書いてみよう。

ことわざ

きゅうそねこをかむ
意味
ネズミでさえ、追いつめられてどうにもならなくなると逆にネコにかみつく違いないという意味。弱い者でも死にものぐるいでていこうすれば、とてもかないそうもない相手に勝つこともある

ことわざ自分のアイデア

まねしたことわざ　自分のアイデア

ねこにこばん——昔の人に一万円

猫にかつおぶし——お母さんにダイヤ

ぶたにしんじゅ——どぶに金のおく

とらぬたぬきのかわざんよう——じじつでないのに先を見る

馬の耳に念仏——動物に人間の言葉

ことわざ

・さるも木から落ちる

・犬も歩けばぼうにあたる

・ねこの手もかりたい

・ねこにこばん

⑦ 歴史上のヒーローや遺跡に迫ろう！

自由課題の家庭学習ノート

歴史上の人物調べ 高学年

福沢諭吉
大阪の塾で蘭学を学び、江戸に出て塾を開いた。その塾を慶應義塾と改め、『学問のすゝめ』を出版し、教育に力を入れた。
『学問のすゝめ』福沢諭吉の著書。人はみな平等であることや、学問の大切さなどが書かれている。

野口英世

歴史上の人物について、調べたことを整理して書いているね。

弥生時代 高学年

社会 4 26 木 14

日本列島に人が住み始めたころ

数万年	1世紀	2世紀	3世紀	19世紀	20世紀	21世紀
	1年	100年	200年	300年	1900年	2000年

弥生時代
。今から2300年以上前朝鮮半島、中国から米づくりが伝わった。

。人々は大勢で協力して米づくりするようになり、人々をまとめる指導者が現れた。

。米づくりが広まると、種もみやたくわえた米、土地や用水鉄の道具などをめぐって、むらとむらの間で争いが起こった。

。争いの中で、むらの指導者は力を強めて豪族となった。争いに勝った豪族は、周りのむらを従えてくにをつくり、王と呼ばれる者

大切なことは赤字にしているね！

CHECK!

1 歴史を人物や場所、時代にこだわって、深く調べてみよう。

2 歴史上の人物の伝記を読んでみよう。

古墳（こふん）について 高学年（こうがくねん）

古墳の写真や地図を貼って、わかりやすくまとめているgood!

4

古墳時代

・3世紀後半から6世紀にかけて、豪族をほうむる、小山のような大きな墓が盛んにつくられた。これを古墳という。

・古墳は豪族の墓。

4/27 very good!

世界一の面積をもつ墓

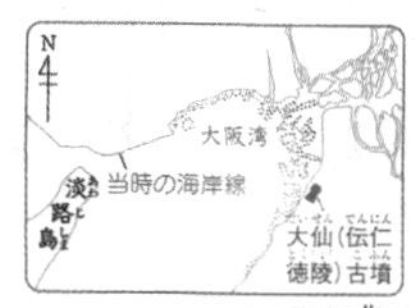

現在の大仙（伝仁徳陵）古墳（大阪府） 5世紀につくられた古墳です。長486m、幅305m。面積は46万㎡で、日本最大の古墳です。面積では世界最大の墓です。

古墳にほうむられた豪族と納められたもの

銅鏡

まが玉

古墳の周りをかざったはにわ

自由課題の家庭学習ノート
⑧流通している硬貨を調べる

日本の硬貨 高学年

4.18 水 No. 5

500円
- 重さ　7g
- 直径　26.5g
- 図がら　桐・竹・たちばな・500

硬貨のまわりにあるギザギザ

500円硬貨、100円硬貨、50円硬貨のまわりにはギザギザがついています。その理由は「ほかの硬貨と区別するため」「ぎぞう防止のため」です。平成12年以こうに発行された500円硬貨には、ななめにギザギザがつけられています。これは大量につくられている貨へいでは世界初です。

4/19

一番注目していることをくわしく書いているね。

CHECK!

1 お金がどこでどんなふうにつくられるかも調べてみよう。

2 お金の流通についても調べてみよう。

4 18 水 No 4

硬貨のサイズとデザイン

1円
- 重さ　1g
- 直径　20mm
- 図から　若木・1

5円
- 重さ　3.75g
- 直径　22mm
- 図から　稲穂・歯車・水・双葉

10円
- 重さ　4.5g
- 直径　23.5g
- 図から　平等院ほうおう堂・10・常盤木

100円
- 重さ　4.8g
- 直径　22.6mm
- 図から　桜・100

余白をたっぷりとって、見やすくまとめている。

見やすくまとめたノートは内容が頭に入ってくるね。

アンダーラインはわかりやすく引こう。

西村先生のアドバイス

重さや大きさなどくわしく調べてまとめていますね。外国のコインやお札を持っている人がいたら、見せてもらおう。

自由課題の家庭学習ノート ⑨等高線を書いて地形を調べる

等高線と土地の高さ 中学年

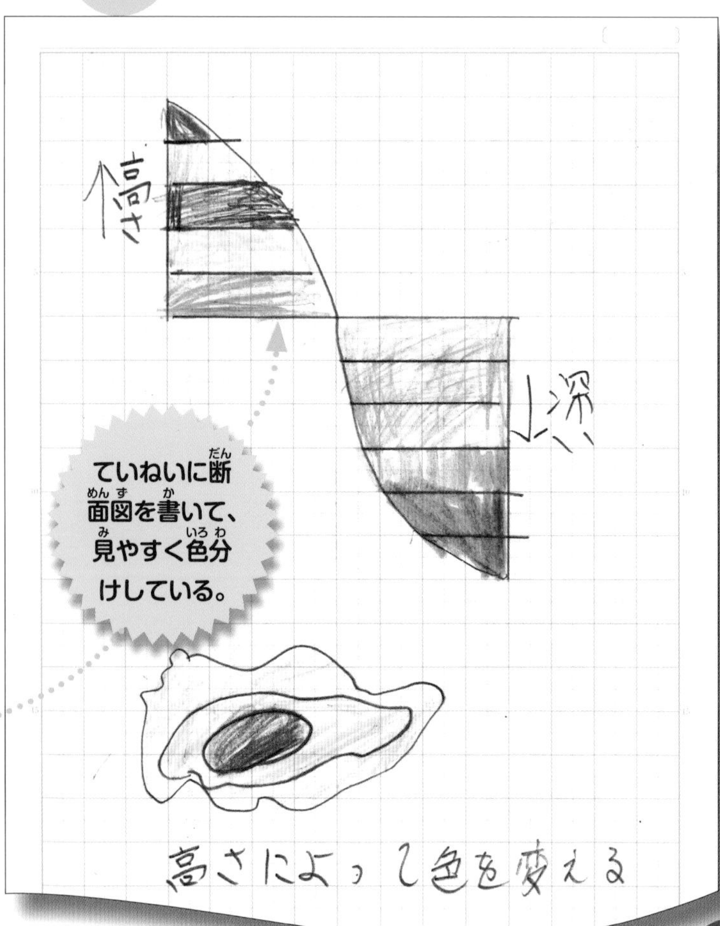

ていねいに断面図を書いて、見やすく色分けしている。

自分で図を書いてみることでイメージがしっかりつかめるようになります。

CHECK!

1. 土地の高さに注目して、日本地図を見る。
2. 地図記号も調べてみよう。

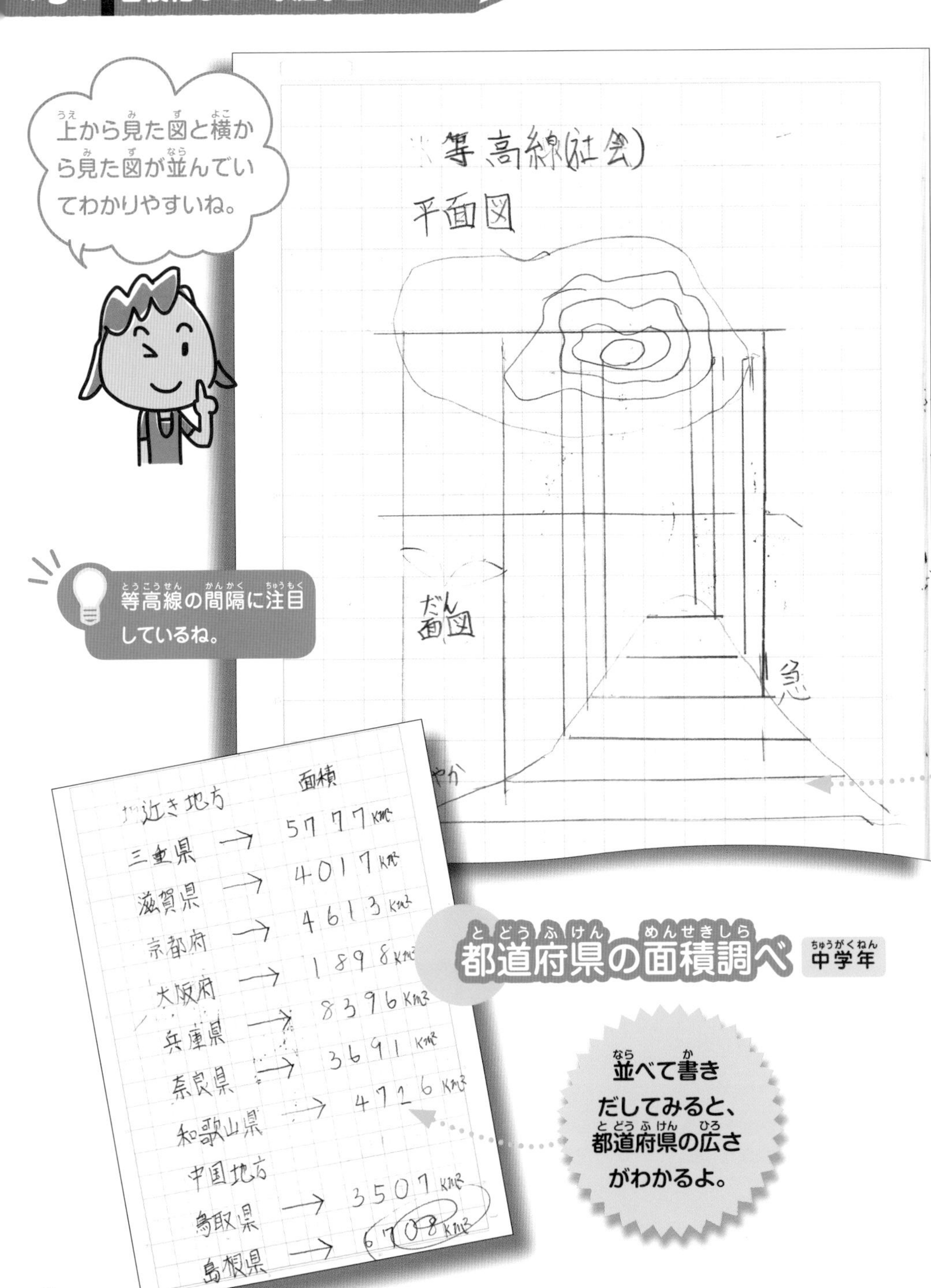
上から見た図と横から見た図が並んでいてわかりやすいね。
等高線の間隔に注目しているね。
等高線(社会)
平面図
だん面図
急
やか
都道府県の面積調べ 中学年
並べて書きだしてみると、都道府県の広さがわかるよ。
面積
近き地方
三重県 → 5777km²
滋賀県 → 4017km²
京都府 → 4613km²
大阪府 → 1898km²
兵庫県 → 8396km²
奈良県 → 3691km²
和歌山県 → 4726km²
中国地方
鳥取県 → 3507km²
島根県 → 6708km²

自由課題の家庭学習ノート ⑩地球温暖化やエコの工夫を調べる

地球温暖化とは？ 高学年

現象の説明をすっきり整理。

・地球温暖化とは？

地球全体で気温が少しずつ高くなっている問題。

◎原因◎
私たちの活動によって生じた二酸化炭素などが、赤外線を吸収して、熱を逃がさないこと。
森林が減少していること。

◎影響◎
・南極の氷がとける ⇒ 海面が上がる
・動物がへる

☆二酸化炭素を減らそう！☆

世界中の国が話しあって、地球温暖化をふせぐため、
二酸化炭素をへらそう！
と、約束をして、それぞれの国の目標を決めている。

自分でできるエコ！！！

かい物はマイバッグ！
コンセントはぬく！
リサイクルする！
冷ぞうこは閉める！

地球温暖化を防ぐために自分たちができることを考えている。

CHECK!

1. 異常気象について調べて、まとめてみよう。
2. 自分の家のごみ調べをしてみよう。

資源ごみのゆくえ 中学年

ビン、カン、ペットボトルの行方を絵で説明していてわかりやすい！
good!

地球で起きている環境問題を、身近なことから考えてノートにまとめると、社会への幅広い視野を養うことになります。

自由課題の家庭学習ノート ⑪ 水の循環を調べる

水のゆくえ 中学年

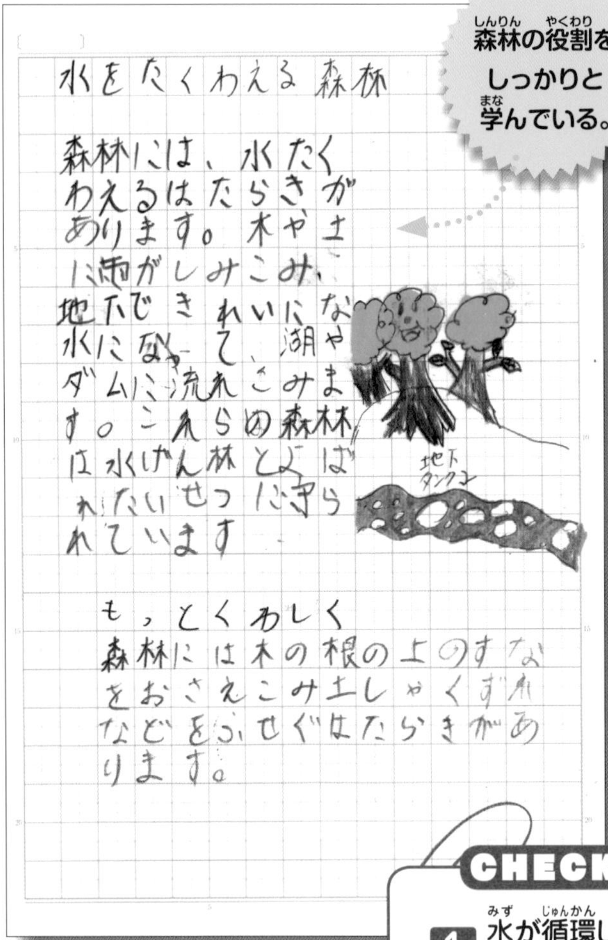

水をたくわえる森林

森林には、水たくわえるはたらきがあります。木や土に雨がしみこみ、地下できれいな水になって、湖やダムに流れこみます。これらの森林は水げん林とよばれたいせつに守られています

もっとくわしく
森林には木の根の上のすなをおさえこみ土しゃくずれなどをふせぐはたらきがあります。

森林の役割をしっかりと学んでいる。

水の流れがよくわかる絵だね。

CHECK!

1 水が循環して、人間の命を支えているようすを絵と文でまとめよう。

2 地球の環境との関係について調べてみよう。

山から川、海へと流れていく水の流れがよくわかる。good!

絵を描くことでイメージがつかみやすくなるよ。

人も動物も植物も水がないと生きていけない。なんと人間の体のほとんどは水からできているよ。水についていろいろ調べてみるのもおもしろいね。

自由課題の家庭学習ノート
⑫英語の学習ノートを見てみよう

大文字と小文字 中学年

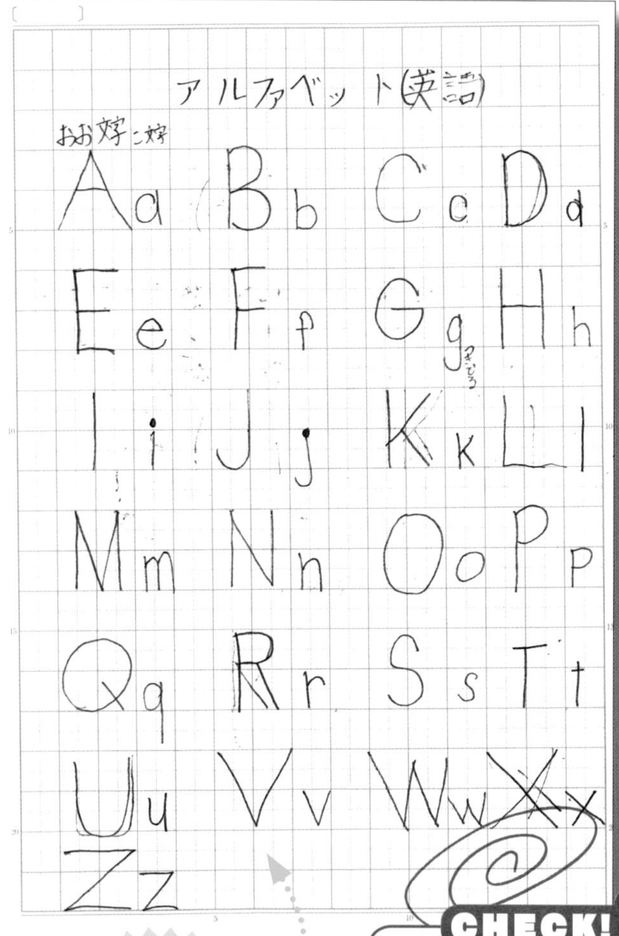

大文字と小文字をマスに合わせてていねいに書いているね。

CHECK!

1. まずアルファベットを書けるように練習しよう。
2. 身近な単語を覚えると、英語が楽しくなるよ。

身近な英語の言葉 高学年

絵を描くと、単語の意味やスペルが覚えやすい。good!

英語

ふくろ かばん　bag、bag、bag、b

はこ　box、box、box、b
box、box、box、b

バス　bus、bus、bus、b
bus、bus、bus、b

くるま　car、car、car、c
car、car、car、c

ねこ　cat、cat、cat、c
cat、cat、cat、c

いぬ　dog、dog、dog、d

ふちのあるぼうし　hathathathath
hathathathath

ぎゅうにゅう　milk、milk、mil
milk、milk、mil

オレンジ　orange、orange

ペン　pen、pen、pen、p

くり返し書くことで、記憶に残るよ。

アルファベットをしっかり覚えて、楽しく英語を勉強しよう。

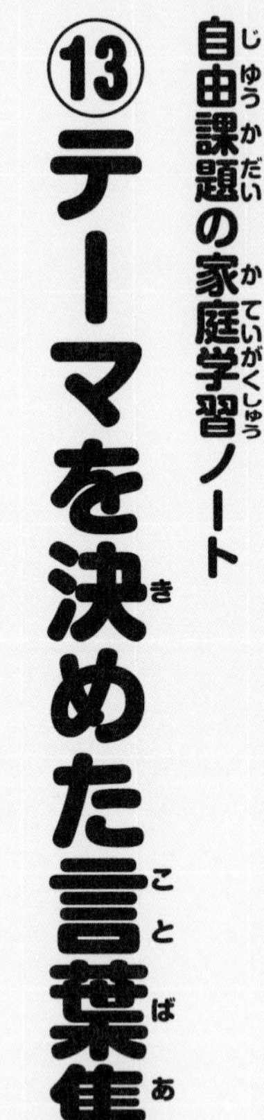

自由課題の家庭学習ノート
⑬テーマを決めた言葉集め

冬の言葉を集めよう　中学年

12/○ 学 冬の楽しみ
冬の言葉を集めよう
ホットカーペット
ぞうに
おしるこ
おせち
ストーブ
ココア
雪
おおみそか
イルミネーション
サンタさん
テレビ
はつもうで
おはかまいり
元旦

◎さんたさん いろんな家に とびまわる
はつ雪が 目にしみてくる 目がいたい
冬休み しゅくだいさぼり おこられる

冬にまつわる言葉を見つけているね。

冬の季語（言葉）を入れて、俳句をよんでいる。

似た意味の言葉　中学年

12/○ にた意味の言葉、反対の意味の言葉
にた意味の言葉の使い方を調べよう。
急ぐ（はやくする）↔ゆっくりする
あわてる（落ち着きをなくしている）↔落ち着く
うれしい
楽しい

意味も書いておくとさらにわかりやすい。good!

言葉集めって、遊びみたいで楽しそうだね。

CHECK!

1. 言葉集めは、いつでもどこでもできるよ。
2. 言葉のおもしろさに目覚めると、語彙が増えていくよ。

1歳9ヶ月の弟の言葉 中学年

聞き取った言葉を整理して、うまくまとめているね。

1才9ケ月の弟のいえる言葉 おもしろいね。

4/12(水)

ぼうし(ぼうし)	クック(くつ)	ふく
ママ	コッコ(ニワトリ)	ねんね
パパ	ポッポ(はと)	むいむい(虫)
ニーニ	きりん	あり
ゆうき	ブウブウ(ブタ)	てんてん(てんとう虫)
(安川)だいき	チッチ(とり)	まるまる虫
バーバ	があがあ(あひる)	はっぱ(花)
ジージ	ちゅうちゅう(ねずみ)	シューッ(すべり台)
ジーチャン	あお	スプーン
バーチャン	あか	アンパン(アンパンマン)
ミンミン(安川くんの妹)	ピンク	
なっちゃん(安川くんの姉)	白	あっち
ねーね	だいだい	だっこ
ゴメンネ	黒	おんぶ
アート(ありがとう)	バス	たっち
マンマ(ごはん)	ブーブー(じょうよう車)	あし
ぞう	トラック	いたい
ライオン	リンリン(じてん車)	てて(手)
ニャンニャン(ねこ)	たいたい([illegible])	よし(よしよし)
ワンワン(いぬ)	はいはい	かちこち(時計)
トト(魚)	チュルチュル(ラーメン、うどん)	スープ

似た意味の言葉、反対の意味の言葉、いろいろテーマを決めて言葉集めをしてみよう。季節の言葉を集めて、オリジナルの歳時記をつくってみるのも勉強になるよ。

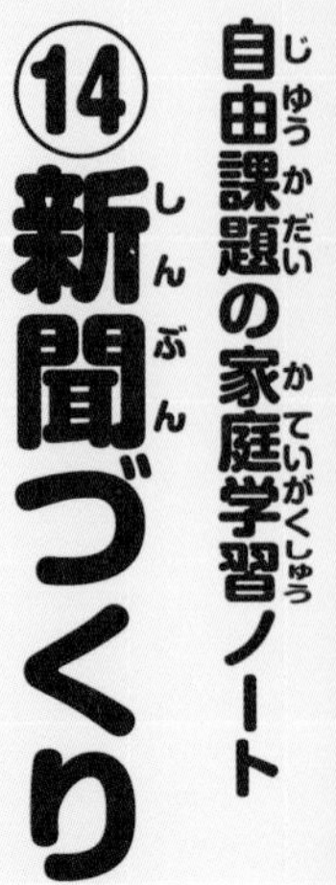

自由課題の家庭学習ノート
⑭新聞づくり・日記帳・あのね帳

紅茶新聞 高学年

ときには新聞の形式にすると、まとめやすい。
good!

CHECK!

1. 自分の気持ちを書くことに慣れよう。
2. 興味のあるテーマについて調べて、新聞にまとめてみるよう。

日記を書くことは文章を書く習慣につながり、表現力がつきます。

日記帳 低学年

イラストを描いたり写真などを貼るのもgood！

楽しかった気持ちがあふれた文章だね！

がんばったうんどう会

☆うんどう会、とってもよくがんばっていたよ。
ダンス、とってもたのしかったよ。
このままだったらまけていたけど、
(1406点) せんしゅリレーでなんとか黄組にかてるかもしれません。
けど、2年ぜんいんの、やるものは、ぶじやれました。
右にあるのは、あすかが、がんばって、つくったのです。→
先生、おどりのまえに、ならんでいるときも、赤組の、おうえんをしていました。
さいごのほう、とつぜん雨がふってきて、びっくりしました。
みんな、よくがんばったね。

フレー フレー 赤組

ダンス、とても楽しかった 二年生の出番は みんなよくがんばれたし 先生も、とってもうれしいうんどう会でしたよ。

あのね帳 低学年

思いをまとめる日記や作文、読書感想文も、家庭学習にぴったり。

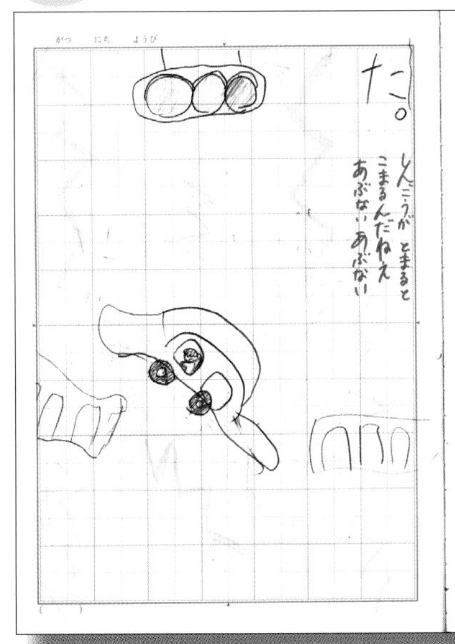

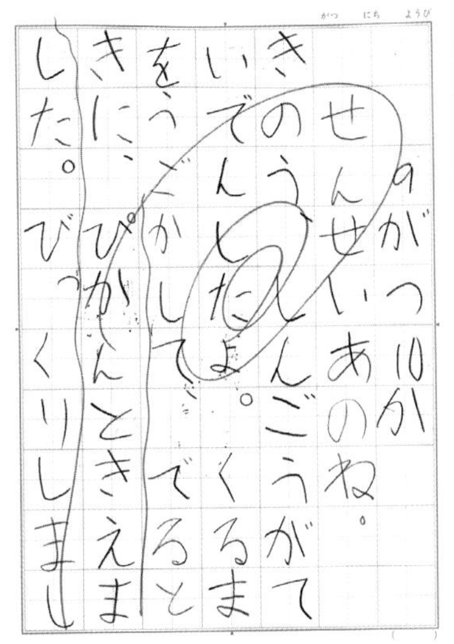

勉強キライって言わないで!

うちの塾の生徒に、「勉強は好きですか?」とたずねると、残念ながらほとんどの子どもたちが「キライ」って答えます。本来、勉強って楽しいはずなのに、どうしてなのでしょうか?

最近の学問はどんどん細分化されています。たとえば学校でも、算数、国語、理科、音楽などの教科も、お互いが全く関わりがないがごとくに教えられているのが現状です。このことが勉強ギライを生み出している理由のひとつになっています。

実は、どの学問も単独では成り立たず、お互いに密接につながっているものなのです。たとえば、英語を深く学ぼうとするには言葉だけでなく、西洋の歴史や地理はもちろん、キリスト教や芸術、文化などについても知っておく必要があります。

本来の勉強の楽しさとは、ひとつの発見があれば、それが次の疑問へとつながり、さらにそれを探求していけば、また新たな発見があるという無限の知識の広がりにあります。人類の進化の歴史から見ても、人には知識を求める好奇心が備わっているはずです。

「勉強キライ」って言う前に、ジャンルにこだわらず、自分の好きなことを徹底して求めていけば、きっと自分にピッタリ合った世界が見つかるはずですよ!

4章

知って差がつく！ノート講座

ノートのとり方も、勉強も、本格的に大切になるのは中学校に入ってから…と思っていませんか？　中学校に入ってからでは遅いのです。小学校の今が、学力の土台づくりとなる時期です。親が知っておきたい小学校低学年からのノートづくりや、ノートの効用について解説します。

学力は中1で決まる！

中学校に入ってからでは遅すぎる

◇小学校は、中学・高校・大学につながる土台づくり

小学生のお父さん、お母さんにとって、お子さんの将来、中学・高校・大学についての話なんて、まだまだ遠い先の話、と感じられるかもしれません。でも、小学校を卒業したあと進学する中学校、高校、大学入試などについて、大体の流れを知って、今からイメージを持っておくことは大切なことです。

現在の教育システムでは、高校入試は中学3年生終了時の成績の振り分けです。そして大学もまた、どの高校に入るかによって、ほぼ決まってしまうのが現状です。

高校入試を例にとって考えてみると、中学1年生終了時の学力を見れば、ほぼ高校入試の結果が予測できてしまいます。つまり、**学力は中1で決まる**のです。高校入試のための勉強は中

スキージャンプの飛び出しフォームをイメージしよう。

3になってから始めればいいなんて思っていると、大変な遅れをとることになってしまいます。**ひとつの目指すべき学力の到達点は中1です。**小学校を卒業してすぐのところにポイントがあることを覚えておいてください。

では、中1になったとき、思うような学力を持てるようにするために、小学時代にできることは何でしょうか。

小学校の勉強は、読み書きにはじまり、身近なテーマからさまざまな分野の勉強の基礎を学んでいきます。こうした学力の積み重ねこそ、中学、高校、大学につながる大切な土台づくりです。

毎日の学校の授業のノートをしっかりとり、宿題に取り組み、家庭学習など**日常に勉強の習慣づけをしていくことが、**まずは土台づくりの第一歩です。

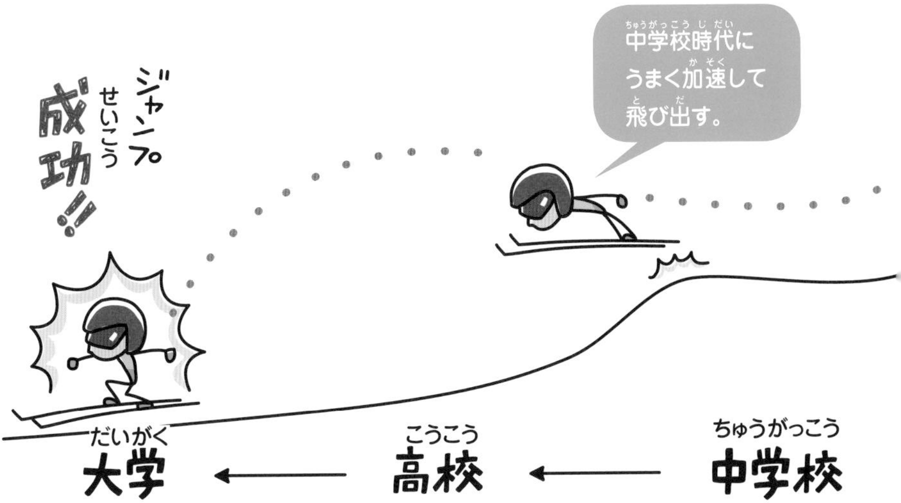

何のためにノートをとるの？

ノートは頭にインプットするためのメモ

◇覚えるためにノートを書く

小学生のノートには、授業のノート、漢字練習や計算ドリルのノート、家庭学習のノートなど、いろいろなノートがあります。

では、何のためにノートをとるのでしょうか？　ノートをとる目的は、おもに３つあります。

❶授業で勉強したことや、覚えておきたいこと、調べたことなどを、忘れないように書き残しておくため。授業中、先生の板書をノートに書き写す作業もこれにあたります。

❷勉強したことをまとめるために、自分で工夫をしてノートを書くこともあります。そして、何よりも一番重要な目的は、ノートに書くことによって、大切なことを覚えることです。

❸ノートは、頭にインプットするためのメモだということもできます。

CHECK!

1. 残す、まとめる、覚える。
2. ノートは、本来は人に見せるためのものではない。
3. 自分なりに必要なことを選ぶ。

ノートに書いたことを、しっかり覚えよう。

大切なことをノートにいくらていねいに書けていても、インプットしなければ意味がないのです。

ノートをきれいに書くことが目的なのではありません。ノートに書くことは大切ですが、書いただけで安心してしまってはいけないのです。よいノートをつくりたいと、作成に時間をかけすぎる必要はありません。**効率よくノートを作成し、残った時間を「覚える」ことに使う**ことができれば、毎日の学習は確実に力となって蓄積していくはずです。

◇ノートは自分自身のためのもの

しっかりとノートのとり方を身につけるため、学校で先生にノートのとり方を教わり、ノートを提出してチェックしていただくこともあるでしょう。子どもたちは、先生に見せるために、一生懸命ノートをとったり、まとめたりとがんばります。そうした積み重ねは、ノートをとる習慣や力になっていきます。でも、本来ノートは人に見せるためのものではありません。**自分自身の勉強のためのメモ**なのです。自分自身にとって、本当に必要なことが書けているか、あとで読み返したときに、自分がわかりやすいように書けているかどうかが大切です。

◇自分なりに「選ぶ」ことが大切

ノートのとり方に、絶対にこうしないとダメ！というものはありません。だんだんと自分で工夫したノートがつくれるように、低学年のうちからノートを書くことを楽しむことができたら、こっちのものです。

自分なりのノートのつくり方を考えられるようになることは、大きな成長です。何が大切で、何が必要か、自分で考えて選べるようになることは、勉強においてとても大切なポイント、目標なのです。私たちの生活は、身の回りにあふれるいろいろなことを、ひとつひとつ選ぶことで成り立っているといえます。「**選ぶ力**」**をつけること**は、教育の基本でもあります。小学生のノートは、選び方を練習する、ひとつのきっかけなのです。

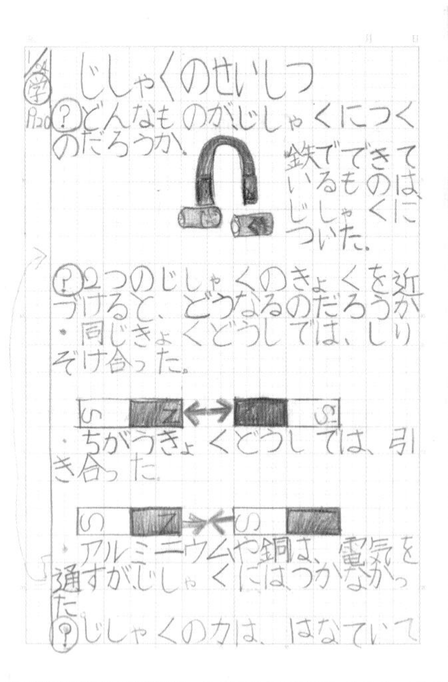

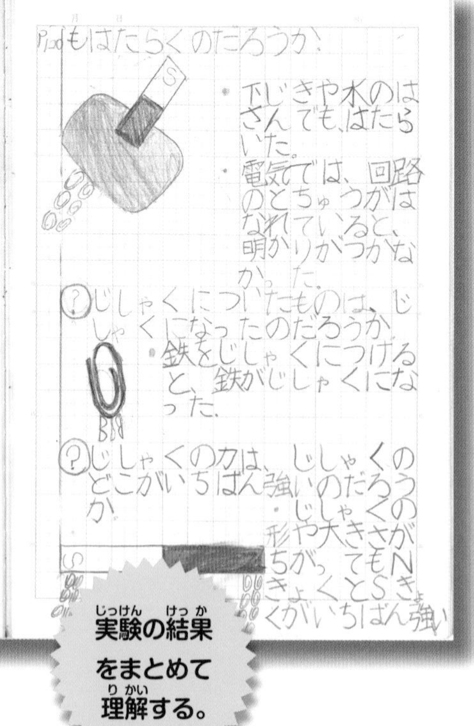

実験の結果をまとめて理解する。

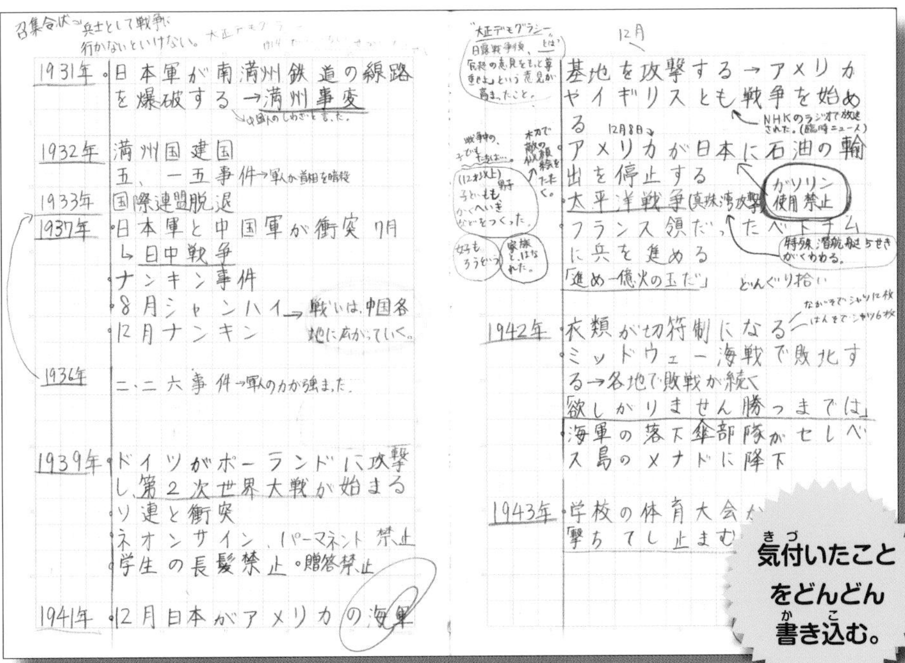

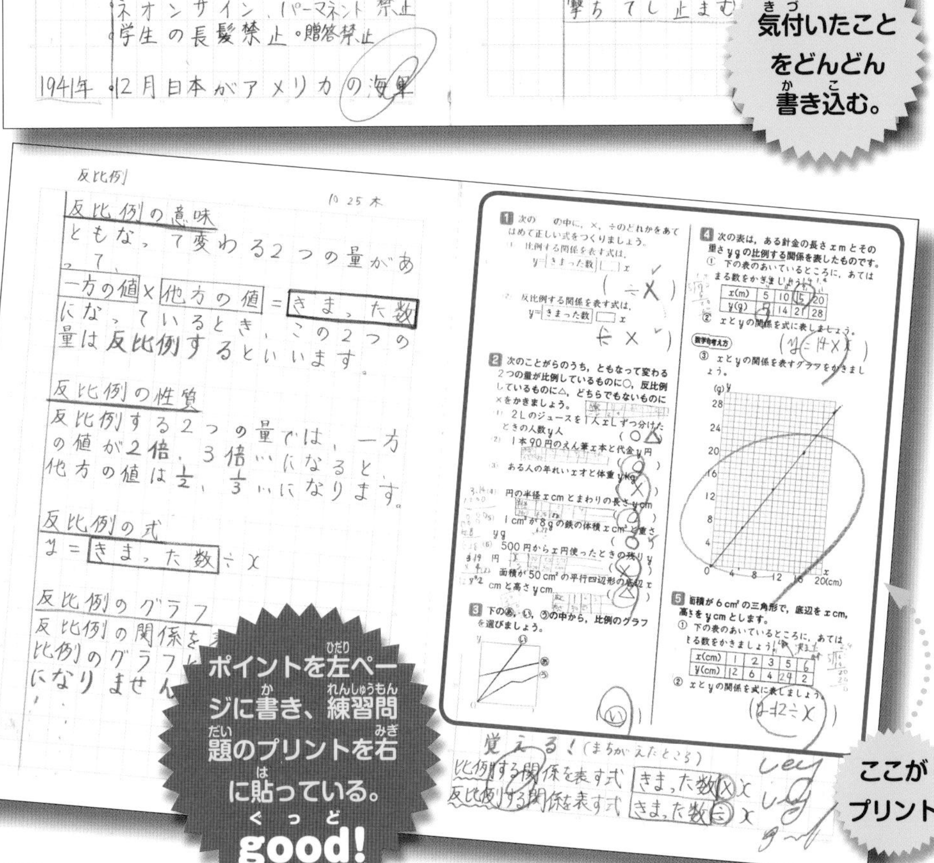

気付いたことをどんどん書き込む。

ポイントを左ページに書き、練習問題のプリントを右に貼っている。good!

ここがプリント

しっかり聞いてノートに書く

ものごとを整理する力がついてくる

◇勉強の基本は、聞く・話す・読む・書くこと

お子さんは、人の話をきちんと聞いていますか？　先生や友達、親などが話しているときに、しっかりと聞けることが、勉強においても第一歩です。成績のよくない子は、人の話をよく聞いていないことが多いものです。人の話を聞いていないと、人とのコミュニケーションも取りづらく、楽しく勉強したり、生活することにも、支障が出てきてしまいます。

人の話を聞けるようになると、自分の考えや気持ちを人に話すことができるようになります。ものごとを整理して、わかりやすく伝える力もついてくるのです。

読み書きも同じです。教科書や本などに書いてあることをしっかりと読むことは、いろいろな知識を得たり、いろいろな世界を知ること

CHECK!

1. 人の話をしっかり聞くことからはじまる。
2. 書いて覚える、整理する、考えることが大切。
3. 読む力、書く力は、考える力、学ぶ力につながる。

その日の授業を、家に帰ってから思い出してノートに書けるぐらい集中して聞けるのが理想です！

につながります。

また、自分で書くことによって、何かを覚えたり、考えを整理したり、ものごとを深く理解する力につながります。

すべての学びの基本は、聞くこと・話すこと・読むこと・書くことにあります。これが大切な、学びの力となるのです。

小学生が、先生の話を聞いて、ノートに書くという作業の大切さ、わかっていただけましたか。

子どもたちのまわりには、無限の可能性が広がっています。子どもたちはいろいろな魅力的な世界があることを、ノートに書きとめながら知っていくことでしょう。

苦手なところ　3月6日

理科(電気のはたらき)
かん電池のつなぎ方と電流の強さ
・かん電池の同じ極どうしをまとめてつなぐつなぎ方をかん電池の並列つなぎという。
・かん電池の十極と別のかん電池の一極をつなぐつなぎ方を、かん電気の直列つなぎという。
・かん電池が1個の回路と比べると、直列つなぎは電流の強さが強く、並列つなぎはほぼ同じになる。
ポイント！ 並列つなぎより、直列つなぎの方が電流が強い。
ア　イ　ウ
プロペラ　スイッチ　かん電池　モーター
イは並列つなぎ、ウは直列つなぎ。
ポイント！ 回路が一本道になっているのが、直列つなぎ。途中で分かれているのが並列つなぎ。

3月6日
・イは、アと比べて電流の強さがほぼ同じになるので、モーターの回る速さもほぼ同じ。
・ウは、アと比べて電流の強さが強くなるので、モーターの回る速さは速い。
ポイント！ ウは、直列で電流の強さが強いから。
(大) 2個のかん電池のつなぎ方によって、モーターの回る速さが変わるのは、かん電池のつなぎ方によって電流の強さが変わるから。

先生が大切な話をしているときは、しっかり聞こう。

字(じ)がきたないと勉強(べんきょう)ができない？

美(うつく)しいノートをつくる子(こ)は勉強(べんきょう)ができるの？

CHECK!

1 字(じ)がきれい＝勉強(べんきょう)ができる、ではない。

2 あまりに雑(ざつ)だと間違(まちが)いの原因(げんいん)になる。

3 自分(じぶん)なりにていねいな字(じ)で書(か)こう。

◇ていねいに書いた字は見やすい

字がきれいな子、きれいなノートをとる子が、勉強ができる子どもでしょうか？

有名大学の合格者のノートは必ず美しいということが書かれた本が話題になったこともありましたが、必ずしもそんなことはありません。字がきたなくても、頭のよい子もたくさんいます。

ただし、**読みやすい字を書くことは必要**です。たとえば、小さい数字より、大きい数字を書く子のほうが、計算ミスは少ないものです。またテストなどで、人に読んでもらえないようなきたない字を書いてしまうと、採点者にわかりづらく、たとえ正解を書いていたとしても、×となってしまうこともあります。また、見直したときに自分で自分の字が読めなくて、思わぬ間違いにつながってしまうようなことは

人(ひと)に読(よ)んでもらえないような字(じ)、あとで自分(じぶん)が読(よ)み直(なお)しても読(よ)めないような字(じ)は、NG(えぬじー)だよ！

避けなければなりません。

習字のおけいこのようなていねいな字を時間をかけて書く必要はありませんが、**自分なりのていねいさを保つ**ことは大切なことです。

一方、女の子にありがちな、色をたくさん使った、美しく凝ったデコノートも、美しいだけで、勉強した内容がよくまとめられたものとはいえない場合が多いものです。

自分に必要なことが書かれていて、**自分が理解しやすい生き生きしたノート**が一番なのです。

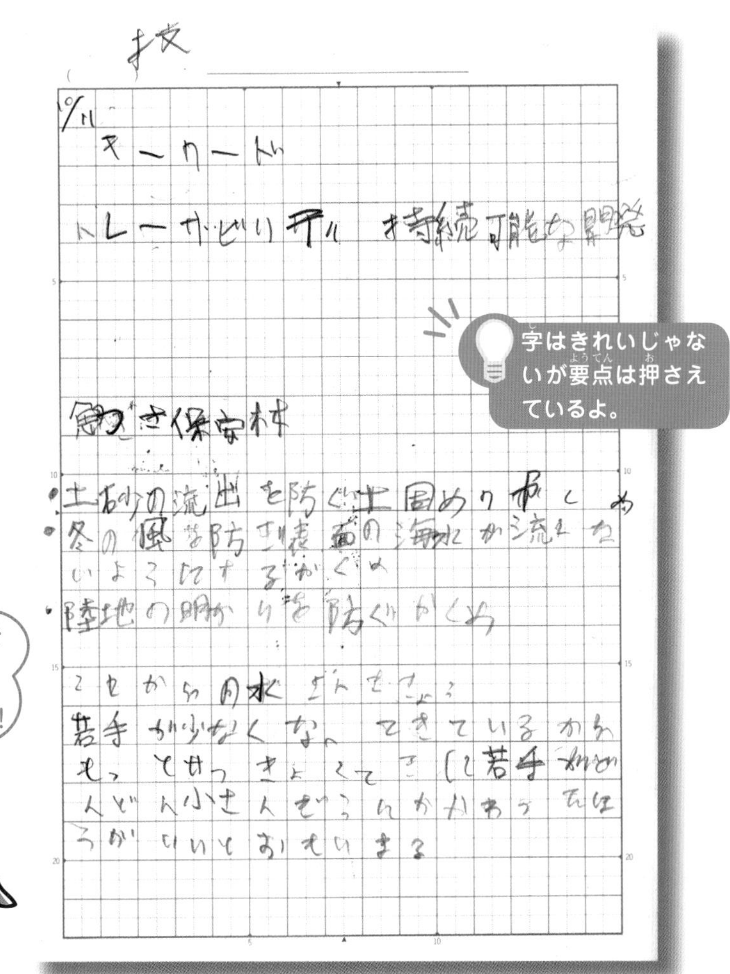

4章 NO.43

ノートで親子のコミュニケーション

親子で一緒に学ぶことを楽しもう！

CHECK!

1 家族みんなで子どもの勉強を楽しむ。

2 ノートから子どもの成長が見える。

3 ノートで勉強の進み具合をチェック。

◇お子さんのノート、見ていますか？

子どものノートを見ると、学校で勉強している内容や興味を持っていることなどがわかります。しかし注意したいのは、「ノートを見せて」と言わないこと。「今日は何の勉強をしたの？」とさりげなく話しかけてみます。そうすると、話しているうちに、自然とノートを親に見せてくれる雰囲気ができます。たとえば、社会の時間に世界の国について勉強したのだったら、世界地図を用意して、親子で国の位置を確認したりすると、家庭で一緒に勉強できます。そんなコミュニケーションがとれるようにしていきましょう。

子どものノートには、その子の個性が表れます。低学年のうちはノートをしっかり見て、関係づくりをするとよいでしょう。高学年になっても、ときどきはノートを介して同じ話題を楽しめるといいですね。

低学年の場合、家庭学習ノートには、お母さんキャラ、お父さんキャラをつくって、「がんばったね」とメッセージを書いてあげるのもGOOD！

世界の国の首都を調べているよ。

No. 53

1月11日(水)社会 国の首都

日本…東京
アメリカ合しゅう国…ワシントンD.C.
カナダ…オタワ
イギリス…ロンドン
フランス…パリ
ドイツ…ベルリン
オランダ…アムステルダム
スペイン…マドリード
ポルトガル…リスボン
スイス…ベルン
イタリア…ローマ
オーストラリア…ウィーン
ポーランド…ワルシャワ
チェコスロバキア…プラハ
ハンガリー…ブダペスト
スウェーデン…ストックホルム
ノルウェー…オスロ
デンマーク…コペンハーゲン

フィンランド…ヘルシンキ
ロシア…モスクワ
ルーマニア…ブカレスト
ブルガリア…ソフィア
ギリシャ…アテネ
トルコ…アンカラ
エジプト…カイロ
リビア…トリポリ
アルジェリア…アルジェ

たいへんよくできました

地図帳でそれぞれの国の位置や国旗についても調べてみよう。

No. 49

家庭科 3月10日(土) まとめ

じょうずに使おう 物やお金
じょうずに買い物をするために

1 計画を立てる
買い物メモをつくる。
・何を買うか
・予算はいくらか。
・いつ買うか。
・どこで買うか。

2 品物を選ぶ。
品物をよく確めて選ぶ。
・使う目的に合っているか。
・予算に合っているか。
・大きさや量はよいか。
・安全で品質はよいか。
・むだな包装をしていないか。

3 買う、支払う
品物を買ってお金を払う。
・現金で払う。
・レシートをもらう。

マークや品質表示の例

ジスマーク JIS

ジャスマーク
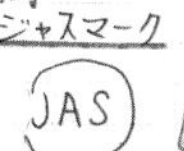

エスジーマーク

寒い季節を快適に
あたたかい着方を考えよう
衣服を着たときのあたたかさは、衣服の形や布の種類、重ね着のしかたによってちがいます。

家族とほっとタイム
楽しい団らん
毎日、家族や身近な人と話したり、いっしょに食事や家庭の仕事をしている。学校であったことや友だちのことを話したり、いっしょに仕事をしたりすると、たがいの気持ちが伝わり、なごやかな交流が深まる。家族とのふれ合いや団らんのしかたは、家庭によってさまざまです。

いつもよくがんばっています。感心します

よくまとめてありますね。
good.
3/12

ノートに書いたことから会話が広がるね。

それぞれのマークのついているものの違いを調べてみると、新しい発見があるかも。

子どものノートを「ほめる」

ノートを叱る材料にしない

◇書くことの楽しさに目覚めさせる

低学年のうちは、正しくてきれいな字を書く練習が必要な時期です。子どもがノートを見せてくれたら、「がんばったね」「上手に書けたね」とストレートなほめ言葉でほめましょう。でも毎回同じほめ言葉では、子どものうれしさもしぼんでしまいます。「数字もきれいに書いていて、計算も間違わずにできているね」などと、**具体的にほめて**あげましょう。

中学年、高学年になったら、きれいに書いていることだけをほめるわけにはいきません。取り組んだことや努力したことを認めるメッセージや励ましをしてあげましょう。

とにかく**継続していることを第一にほめること**が大切です。

できる子は手がよく動くという説もあります。面倒がらずに書くよ

CHECK!

1 子どもががんばったことを認める。

2 工夫したことをほめて、励ます。

3 叱るのではなく、前向きな言葉かけ、「がんばってやってみよう」

がんばって勉強を続けていることを第一にほめてあげましょう。

うになることが大切なのです。子どもがほめられたなあと感じるほめ方をめざしましょう。

◇ノートを見て、子どもを叱らない

子どものやる気を育てるには、親がノートを見て、叱らないことが大切です。兄弟と比較するのもやめましょう。子どもの成長を見つけてあげましょう。

ほめ言葉

- 「上手にできたね」
- 「がんばって続けているね」
- 「わかりやすく書いているね」
- 「工夫しているね」

NG ワード

- 「ぐちゃぐちゃに書いていてわかる？」
- 「もっときれいに書けないの？」
- 「ほとんど書いていないね」
- 「だから勉強ができないんだ」
- 「何やってもダメだね」

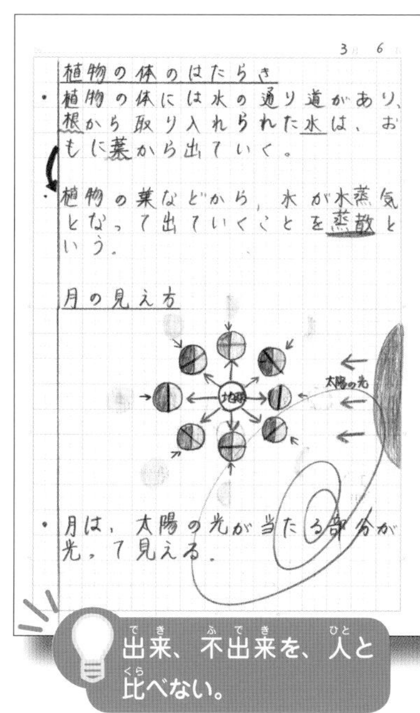

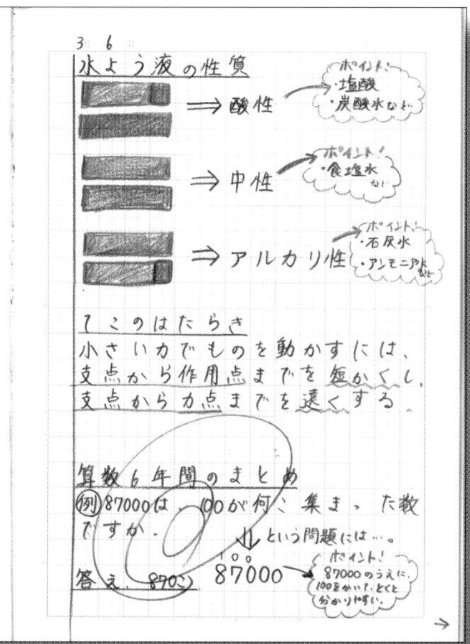

出来、不出来を、人と比べない。

小学生の勉強時間の目安は？

学年が上がるにつれて、増やしていく

◇少なくても学年×10分は必要

小学生は、家庭で1日にどれくらい勉強したらよいのでしょうか。学校から出される宿題もあるでしょうが、**家庭学習をする時間は少なくとも学年×10分は必要**です。つまり小学校4年生だったら、最低40分ということになります。学校の授業時間は45分～50分です。人間が集中できるちょうどよい時間になっているのです。

学年が上がるにつれて、学校の勉強の内容も難しくなり、宿題や予習・復習に時間がかかるようになるので、家庭学習も増えていくようです。

しかし、毎日同じ時間に勉強していると、モチベーションが下がることもあります。ときには、楽しいことを先にするなどメリハリをつけてみるのも、飽きずに続けるコツです。

CHECK!

1. 毎日決まった時間に勉強するのがベター。
2. できない日があれば、週末で埋め合わせをする。
3. 見たいテレビ番組は録画して、週末に見るなど工夫する。

帰宅後すぐか、夕食の前までに勉強するのが望ましい。継続は力なり。勉強の習慣をつけることが大切です。

家(いえ)での勉強時間(べんきょうじかん)

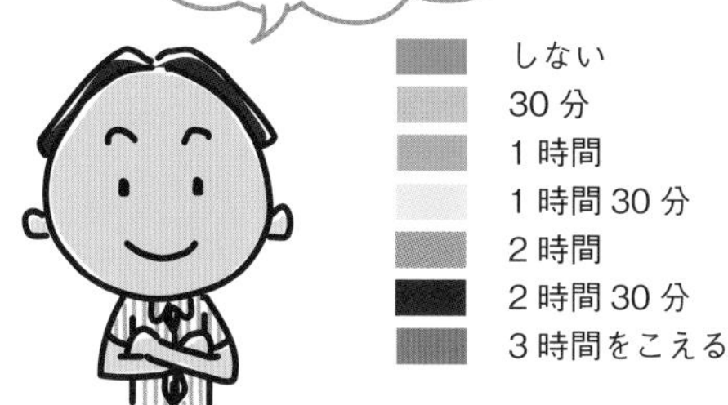

家庭で勉強する時間は、全体では9割近くの子ども（男子は88.7％、女子は86.8％）が30分から1時間程度。学年が上がるにつれて、勉強時間は増えている。

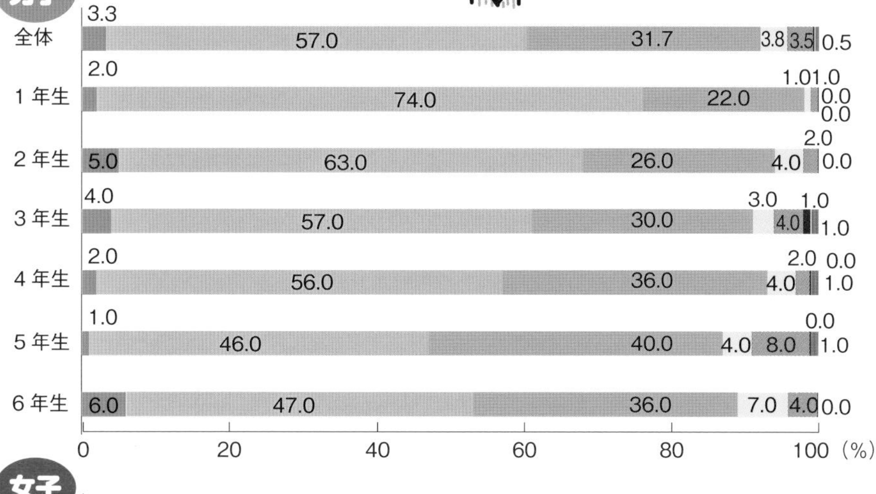

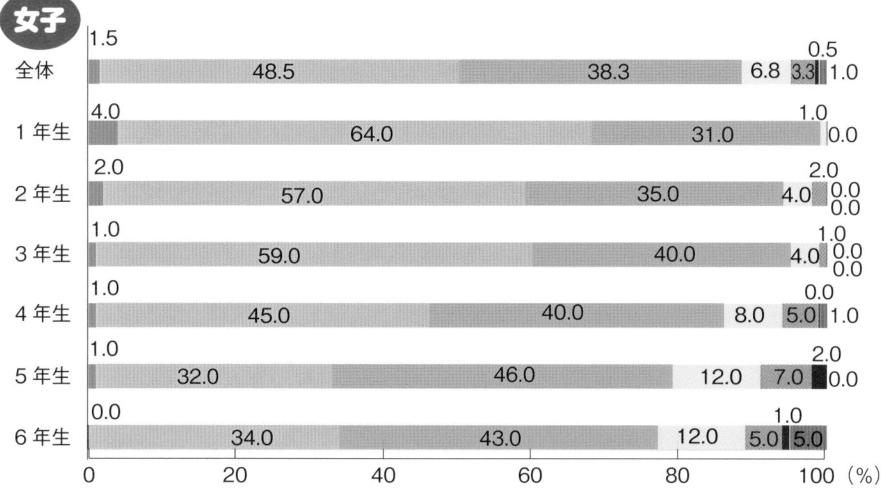

出典：「小学生白書Web版　2010年9月調査　学研教育総合研究所」

4章 NO. 46

低学年のうちの習慣づけが大切

生活の中に勉強のリズムを定着させる

CHECK!

1 子どものやる気を応援する。

2 子どもの疑問や興味に寄り添う。

3 親が本を読んだりして楽しく学ぶ姿を見せる。

◇低学年は考える力を養う時期

小学校の低学年は、学力の基礎をつくる時期です。まずは小学生としての、生活のしつけをすることを第一にしましょう。家庭学習の習慣をつけることもそのひとつです。

家庭学習といっても、テストでよい点を取れるような勉強をさせないようにします。

低学年のうちはさまざまな体験をして、考える力や表現力を養う時期なのです。勉強に関する興味を引き出したり、知らないことを知るおもしろさを感じさせてあげることが大切です。この時期に子どもが学んだことは基礎となり、将来きっと子どもの力を伸ばします。

やりたいときにやるのではなく、習慣づけていくことが大切。

低学年のうちに大切にしたいこと

自分の言葉で表現する

子どもが自分の言葉で表現するようにさせることが大切です。言葉につまっていたら、大人が言葉を繰り返してみます。伝えたいことをうまく表現できるようになるには、家族や友だちなど身近な人たちとの関わりの中で体得するものが多いことを、大人が理解しておきましょう。

時間をかけて自分で理解する

子どもがわからないことを、大人がすぐに教えないようにしましょう。答えは必ずしも○か×にはならないことを教え、どうしてそうなるのかを一緒に考えていくようにしましょう。

子どものなぜ？という質問を大切に

子どもに「なぜ？」と聞かれたときは、大人の常識で説明するのではなく、子どもの考えが深まるようなヒントを与えられるように答えましょう。

書くことの楽しさを発見させる

ノートの基本は書くことです。低学年のうちに、文字や数字を書く楽しさを知ると勉強に興味がわき、やる気が生まれます。でも、もし子どもがノートを書きたがらなかったら、無理強いしてはいけません。本を読み聞かせたり、親が手紙やメモを楽しそうに書いたりする姿を見ているうちに、興味を示しはじめることもあります。

文字や数字を書くのが楽しくなるといいね！

勉強の環境づくり

勉強は習慣。毎日繰り返すことで定着する

◇家族の協力が不可欠

家庭学習は、習慣にすることが大切です。そのためには勉強の環境づくりが必要になります。忙しいお父さん、お母さんたちは子どもが帰宅してすぐに勉強を見てあげられない場合も多いでしょう。夕飯の用意をしている時間にリビングルームで宿題を見てあげるなど、家庭の事情に合わせて、工夫すればよいのです。

毎日同じ生活リズムを守り、続けることが大切です。

勉強すると決めた時間に家族がおもしろそうなテレビを見ていたら、子どもも見たくなってしまいます。家庭学習の習慣を守るためには家族の協力が不可欠です。もし遊び疲れて眠くなってしまい、なかなか続かない場合は、生活リズムを見直します。

CHECK!

1. 規則正しい生活リズムを守る。
2. 家族みんなで協力する。
3. 親子共に本を読む習慣をつくる

一流のスポーツ選手も、毎日トレーニングを欠かさない。勉強も同じだよ。毎日取り組むことが大切！

勉強の環境づくりで大切にしたいこと

家族が協力する

■本の読み聞かせ

一緒に1冊の本を読み、物語など本の世界を共有する。

■一緒に旅行に行く

いろいろな地域のことを知る。

地理や歴史、文化に興味を持つ。

社会のしくみを知る。

自然にふれる。

驚きや感動、体験を共有する。

興味を持たせるためのポイント

- 家の中の目立つところに、年表や地図などのポスターを貼る。
- ゲームやクイズ、検定試験などをうまく活用する。
- テレビの近くには、常に地図帳や辞書を置いておき、ニュースや新聞などでわからないことがあれば、すぐに調べる。
- 漢字や言葉の意味を一緒に辞書を引いてみる。
- 図書館に出かけ、本にふれる機会を持たせる。
- 博物館や美術館に出かける。

家族みんなの生活リズムを整えることが大切なんだね。

4章 NO.48

目標の定めかた

ノートづくりという作業だけが目標ではない

CHECK!

1. テストでいい点を取るためだけに勉強するのではない。
2. 自分の世界を広げるために勉強する。
3. 大人になっても学ぶことは大切。

◇学びの動機は好奇心。好奇心を刺激する

小学生は受験や将来の展望など、まだ明確な目標がないことがほとんどなので、勉強に対するモチベーションを上げにくいのは事実です。「どうして学校で勉強しなくちゃいけないの?」と聞かれたら、どう答えますか? 勉強する意味を見出せないとやる気がわいてこないのは、大人だって同じです。ときには、お子さんの立場になって、考えてみることも必要です。

まず学校で勉強したことは、すぐには役立たないこともあると話してみましょう。その上で、「大人になったら、何になりたいの?」などと、お子さんと将来の夢の話をしながら、**今の勉強が夢の実現にどうつながるのか、役立つのかを説明する**必要があります。

ぼくは宇宙飛行士になりたいな。
そのためには……。

目標を定めるときのポイント

子どもが自分で決める

子どもは、自分で決めた目標に向かっては、がんばるものです。親はアドバイスする立場に徹しましょう。

目標を高くしすぎない

「がんばったらできる」「やればできる」と思えるくらいの目標の設定を。できたときにそれが子どもの自信になって、さらに上の目標を設定するようになります。子どものやる気を引き出すには、「やれた！」という達成感や自己肯定感を持てることが大切なのです。

目標を書いてみる

目標を決めたら、紙に書いて、見えるところに貼っておきましょう。終わったものは、線で消したり、スタンプを押したりしていくと、もっとがんばろうという気持ちが起きてくるはずです。

継続することに意味がある

勉強は続けることが大切ですが、いやがる子どもに無理やり続けさせるのは禁物です。さりげなく促す程度に。たとえ3日坊主になったとしても、また3日続ければいいくらいの気持ちでいましょう。

子どもが興味を持っている世界で一流のものや人に会う機会を作ってあげましょう。偉人伝などを読ませてもよいでしょう。マンガでもOKですよ。

文具選びで気をつけたいこと

効果的な文具選びを楽しもう

CHECK!

1. 選ぶ文具によって、書くことへの意欲が変わる。
2. 学年や筆圧に応じた鉛筆選びをする。
3. 文具は使いやすさを重視する。

◇鉛筆の濃さと硬さ

ノートとつきあっていくには、筆記具選びも必要です。

小学校低学年で使う鉛筆の濃さは、学校にもよりますが、Bや2Bなどです。筆圧が弱い子どもの場合、3Bや4Bをすすめられることもあります。芯がかたいと手に負担がかかるからです。

また筆圧が強いと、芯がよく折れます。芯をよく折る子どもには、先端をとがらせないように浅めに削ったり、削った芯で少し書いてから渡します。鉛筆の持ち方に慣れてくれば、字の濃さは落ち着いてくるはずです。

勉強が楽しくなるようなキャラクターものも、もちろんOK！ただし、あまり凝りすぎないようにしたほうがいいでしょう。

◇色ペンは多用しない

色ペンをたくさん使って、きれいにノートづくりをする子どもがいます。しかし、ノートをカラフルにすることに夢中になってしまい、勉強に注意がいかなくなります。ノートに使う色ペンは2～3色にしたほうがよいでしょう。

◇下敷き

低学年のうちは、安定した文字が書けなかったり、筆圧が弱い子どもも多いので、まずソフトタイプの下敷きを使うようにするとよいでしょう。

◇消しゴム

シンプルな四角くて白い消しゴムが、一番使いやすく、飽きずに使えます。でも、ねり消しや、香りのついた消しゴムなども子どもには魅力的。きれいに消せるものがいいよとさりげなくアドバイスしてみましょう。

シャープペンは使っていい？

小学生のうちは、鉛筆を使わせる先生が多いようです。「とめ」「はね」「はらい」など文字を正しく書く練習には、鉛筆が向いています。シャープペンは芯が細いので、手首が直角になりがち。手の動かしやすさを考えると、筆圧が定まらない低学年のうちは、やはり鉛筆がおすすめです。シャープペンもグリップが握りやすく工夫されているものもあるので、子どもが使いたがったら、使わせてもよいでしょう。

姿勢、鉛筆の持ち方は大丈夫？

しっかり文字を書くために、ぜひチェックして！

CHECK!

1 背筋を伸ばして椅子に深く座る。

2 鉛筆は正しい持ち方で。

3 正しい姿勢、鉛筆の持ち方で、集中力UP！

◇確認しておきたい正しい姿勢

勉強するときには、座る姿勢も大切です。背筋をピンと伸ばして、しっかり椅子に座れば、やる気もおのずとわいてくるのではないでしょうか。一方、猫背になっていたり、足を投げ出して座っていると、勉強する気持ちがゆるんでしまいます。

学校では先生に注意されるはずですが、家庭でもお子さんの姿勢をチェックしてみましょう。

◇正しい鉛筆の持ち方を教えましょう

鉛筆の持ち方は、あとからクセを直そうとしてもなかなか直せません。低学年のうちに、正しい持ち方を親子で確認して、教えておきましょう。

西村先生のアドバイス

どんなスポーツでもフォームが大切。姿勢が悪いと、注意力も散漫になりやすいよ。

子どもが正しく鉛筆を持ち、書くためには、指先に力を入れる必要があります。やわらかめの鉛筆で文字を書かせたり、お絵かきをしたりして、指先に力が入るように鍛えましょう。

正しい鉛筆の持ち方

親指の先、人さし指の先、中指の側面の３方向からきちんと支えます。

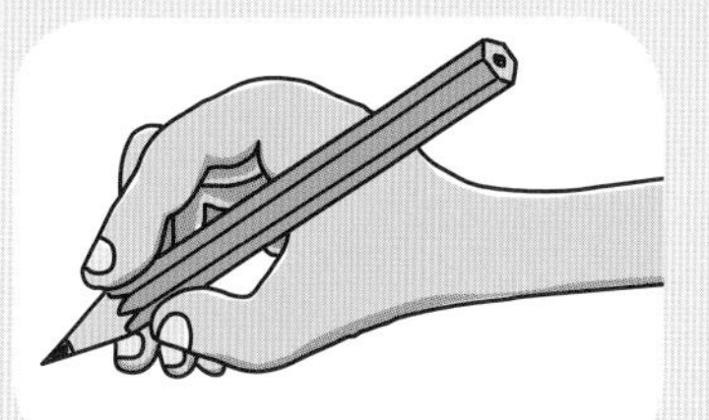

正しい姿勢はこれ！

まっすぐな姿勢で座るようにさせましょう。

●椅子に深く座って、背筋を伸ばす。

●足の裏は、しっかり床につける。

●机と体の間は、握りこぶしひとつ分あける。

間違った握りクセがついてしまったら

補助グッズを使って、直していきましょう。

●市販のホルダー
鉛筆にさして使うものが市販されています。

●せんたくばさみ
鉛筆にはさみ、人差し指を入れて握ります。

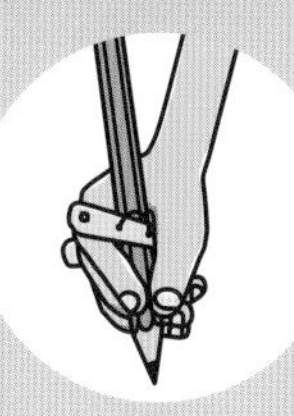

おわりに

人は太古の昔から情報を記録することにこだわってきました。情報にあふれた現代よりも、情報の少ない昔の人の方がむしろ情報の大切さがわかっていたのかもしれません。そんな思いも込めて、ノートをとることの大切さについて紹介させていただきました。

はじめに述べたとおり、柔軟性のある小学生のうちに勉強の習慣をつけることが何より大切であり、しかも、お父さんやお母さんが勉強にかかわれるのは小学生のときがラストチャンスと言っても過言ではありません。

ますますグローバル化が進み、競争が激しくなる社会を生き抜くためにも今、「学ぶ力」が求められています。親が子に残してやれるのはお金や物ではなく、「学ぶ力」なのです。まずはお父さんやお母さんがしっかりと本書のノウハウを学び、お子さんとともに成長していただきたいと思います。

本書を製作するにあたり、生徒だけでなく、たくさんのお子さんのノートを目にする機会を得ることができました。ノートを提供してくださったみな